LA EXTRAÑA

Sándor Márai

LA EXTRAÑA

Traducción del húngaro de
Mária Szijj y J. M. González Trevejo

salamandra

LA EXTRAÑA

38 ºC

El café se servía en la terraza, bajo las grandes sombrillas de colores vivos.

El primero en abandonar la mesa del comedor fue el propietario de una fábrica de porcelana; extraordinario bromista y portavoz del grupo alemán, llevaba la cabeza rasurada, sudaba copiosamente y entre plato y plato interpretaba con entusiasmo contagioso las melodías más en boga, tamborileando sobre la mesa o el borde del plato con el cuchillo y el tenedor. Cada vez que la directora del hotel, una mujer de cabello rubio pajizo, entraba en el salón, el alemán se arrancaba a cantar *Nimm dich in Acht vor blonden Frauen* (Cuidado con las rubias) imitando los gestos y la entonación de una conocida actriz cinematográfica. Esta traviesa alusión siempre causaba hilaridad entre sus oyentes. El industrial lucía su uniforme veraniego —pantalones amarillos de lona, camisa deportiva sin cuello abotonada sobre un pecho tostado por el sol y cubierto de vello canoso, tirantes bordados con motivos bávaros, gafas amarillas con montura de carey y gorra blanca— como si fuera un traje de payaso para una función de aficionados. Se detuvo casi horrorizado al llegar a la puerta que daba a la terraza, desde cuyo umbral se podía ver el mar, y dio un paso atrás.

—*Schon übertrieben* (Qué barbaridad) —dijo con su habitual estilo telegráfico y bien articulado, pero con un tono tan descaradamente alto que se oyó incluso en el comedor. Meneó la cabeza y, como si viera avecinarse una catástrofe, entornó los párpados para escrutar el mar y el cielo.

Consultó el termómetro colgado en la jamba de la puerta, estirándose como si sus ojos miopes, habituados a dimensiones más terrenales, no alcanzaran a distinguir el vértice de la columna de mercurio, y leyó a media voz, casi con reverencia, lo que indicaba.

—*Achtunddreissig* (Treinta y ocho) —balbuceó pausando cada sílaba. En su tono se reflejó la admiración del hombre contemporáneo por los récords. Empujó con el pie la puerta cristalera del comedor y gritó en dirección a los comensales—: *Achtunddreissig im Schatten!* (¡Treinta y ocho a la sombra!) —Pero como el coro invisible no dio ninguna respuesta a esta clara señal de alarma, añadió como para sí—: *Alle Achtung* (No está nada mal). —Acto seguido, arrastrando sus zapatillas de tenis, cruzó la terraza de hormigón, que exhalaba un aire caliente y seco, y se dejó caer en la única tumbona que, a través de la balaustrada, recibía algo de sombra de unos olivos.

Permaneció unos minutos así, solo y tumbado. Extrajo del bolsillo del pantalón un periódico alemán meticulosamente doblado. Parecía querer inducir a los que en aquel momento aún se encontraban al reparo tras los ventiladores y las persianas bajadas, relativamente a salvo con sus frescas aguas minerales y sus copas de helado míseramente derretido, a que tomasen conciencia de la gravedad de la situación. ¡Treinta y ocho grados a la sombra! Mientras todavía estaban comiendo, un vendedor ambulante había colocado sobre la balaustrada de piedra de la terraza una serie de piezas de artesanía, manteles, chales y colchas de colores vivos, todo tejido a mano. Más allá de la balaustrada se extendía una pista de tenis y una huerta que descendía hacia el mar, y desde la terraza serpenteaba hasta la playa una estrecha escalera empedrada con guijarros. El vendedor subía y bajaba la escalera con andares apacibles y silenciosos. Se había procurado unas piedras en el jardín para fijar sus livianas mercancías, ya que las ráfagas de aire caliente procedentes del mar las zarandeaban sin cesar. Calzado con unas babuchas de algodón negro y calcetines de lana blanca, y vestido con unos pantalones de ante negro ya desteñido y una casaca de manga corta ribeteada de rojo que le tapaba el delgado torso hasta la cintura, iba y venía con un aire contrito y envarado, como si asistiera a un extraño ritual funerario. Los colores y dibujos de los bordados y tejidos hacían juego con la silueta roma del paisaje, con los perfiles tristes y agrestes de las rocas, los tonos verde grisáceo de la vegetación calcinada. El hombre, sus movimientos y sus artículos se confundían con el paisaje, se mimetizaban con los olivos y matorrales de siempreviva. Al cabo de un rato se acomodó sobre el último peldaño, mirando al frente con aire humilde y perplejo, como a la espera de algo, y entonces a sus labios afloró una sonrisa.

Los comensales alemanes aparecieron en la puerta como una tropa, vociferantes y despreocupados. Convencidos de que la unión hace la fuerza, parecían sentirse a salvo de todo peligro. Los lideraba el mismo matrimonio que los había encabezado en la mesa: una mujer huesuda, de rostro moreno y agradable, y su marido, que incluso a la hora del almuerzo lucía el pijama con absoluta desenvoltura. Éste se adelantó a su esposa y recorrió la terraza con la desconfianza de los miopes, ajustándose los anteojos sobre una nariz chata, pero mostrando orgulloso su prominente barriga, como el jefe de una tribu que guía a su pueblo con mano firme a través de parajes peligrosos. A ellos también les afectaba el bochorno. Las mujeres llevaban ropas baratas y coloridas, húmedas por el sudor. A esa hora el calor era tan punzante y pegajoso que todo cuerpo parecía un lastre cubierto de impurezas. La única excepción era una mujer de ojos grises y cabello rubio entrecano, que destacaba fresca como una rosa en medio del grupo alemán; entre aquel bochorno pringoso e invisible se movía con la familiaridad de las mujeres anémicas y de piel muy pálida, casi como quien se siente en su propio elemento, con aire altivo, consciente de ser la única persona, entre todos aquellos cuerpos sudorosos y de segunda clase, capaz de resistir las adversidades climáticas. Su cuerpo reflejaba las ondas térmicas; parecía que, en vez de piel, sus flácidos músculos estuvieran recubiertos por una delgada capa de amianto.

—*Achtunddreissig* —constataron también los recién llegados; les costaba respirar, reían turbados y hacían comentarios sobre el extremo calor.

Para aquella estación del año, la temperatura era sin duda excepcional, incluso en aquel rincón meridional, sofocante y de clima casi tropical del Adriático. Un caballero de Belgrado, funcionario ministerial de cuya barba cuadrada al estilo Enrique IV caía de vez en cuando una gruesa gota de sudor, recordó que catorce años antes, justo en ese mismo mes, había llovido y soplado un viento gélido y sólo los más osados se habían bañado en el mar.

Los miembros del grupo se fueron instalando. Un pegajoso vaho de humedad había cubierto las tumbonas. El vendedor ambulante se puso en pie con presteza, como si hubiera llegado el momento que esperaba, se colocó al lado de sus tejidos y sonrió. Pero las damas lo contemplaron con una expresión de lánguida perplejidad, y al final ninguna se movió. Como ciertos insectos que permanecen inmóviles, aparentando estar muertos en los instantes de peligro.

—*Zepp - Macht - Arktisfahrt!* (El Zeppelin - sobrevuela - el Ártico) —leyó el fabricante de porcelana a ritmo de alfabeto Morse, como quien, pese a las calamidades del tiempo, considera necesario mantener informados con regularidad a sus displicentes conciudadanos sobre las noticias del mundo civilizado.

La noticia del vuelo sobre el polo Norte halló un débil eco en un par de comentarios sobre la extrema diversidad del clima en el planeta y la superioridad alemana en el campo de la tecnología. El bochorno se condensaba maloliente bajo las sombrillas de colores. Curiosamente, el sol no se veía. Nada delataba el origen del calor, que parecía emanar de unos conductos invisibles. Junto a la balaustrada, la figura del vendedor, el perfil oscuro de su torso esbelto, se recortaba nítidamente contra el cielo gris claro, tan grácil como si formara parte de la flora, respirara y se moviera de forma acompasada con el paisaje de olivos y cactus que, a merced de las corrientes de aire cálido, oscilaban ligeramente. La brisa no dejaba huella en el paisaje, no aliviaba el calor, se limitaba a pasar de largo y chamuscar la epidermis de cuerpos humanos y vegetales; allí arriba, en la terraza, se tenía la impresión de que abajo, en las vísceras de la tierra, los fogoneros hubieran abierto por un instante la caldera del barco para que ascendiera hasta cubierta una masa de aire incandescente. Su roce dejaba en la piel un ligero dolor, como una quemadura de primer grado. Todo eso, a finales de mayo, resultaba excepcional.

Dentro, en el comedor, ya habían terminado de servir el primer turno del almuerzo. El grupo de huéspedes que prefería almorzar temprano ocupaba los bancos y tumbonas bajo las coloridas sombrillas de la terraza. El mar, también gris claro, emitía vapores como si hubiera alcanzado su punto de ebullición. El hotel, con su pista de tenis y su huerta, parecía ahora un fantasmagórico velero de varias cubiertas, un gran buque que con las velas plegadas avanzara lentamente en la bonanza hacia el horizonte, donde se tocaban el gris del mar y la tierra. El Argentina era la construcción más elegante de la costa; el *maître* había sido *steward* jefe en el yate de lujo de un noble local, quien en tiempos no muy lejanos había mandado erigir aquella suntuosa residencia para su uso privado. El yate de lujo seguía recorriendo los mares pero, como un automóvil cuyo propietario ha venido a menos, se dedicaba al transporte de pasajeros entre Zadar y Kotor; la pomposa residencia veraniega decorada con exclusividad había sido conver-

13

tida en hotel, y el caballero arruinado se había retirado, según los rumores, a un sanatorio en alguna parte de Split. Ahora los huéspedes eran enviados allí por las agencias de turismo, deslumbrados con promesas que el Argentina sólo podía satisfacer parcialmente. Entre éstas sobresalían «los jardines colgantes», que en realidad eran bancales con hortalizas, y la «playa propia», íntima y exclusiva, pero inutilizable por ser pedregosa. Por muy avispadas que fueran las oficinas de turismo, finalmente se supo cómo eran las cosas en realidad y el Argentina, a despecho de sus ilustres y suntuosos orígenes, con el paso del tiempo se vio obligado a moderar sus precios. El hotel ya era visitado por huéspedes de recursos limitados, turistas que meses antes del viaje calculaban hasta el último céntimo que se permitirían gastar durante su estancia. Así fue como, de lujosa residencia estival, el Argentina había pasado a ser un respetable hotel «burgués», obligado a amoldarse al nivel de vida y la escasa prodigalidad de sus clientes. Por ejemplo, después de la fruta ya no se ofrecía el lavamanos.

En la terraza del famoso hotel, los huéspedes se entremezclaban en un ambiente de forzada familiaridad, resignados al destino de su clase social, conscientes de que por esos precios no podían exigir un lujo y una privacidad exclusivos. Las comidas se servían en un comedor común, el menú era igual para todos, la mayoría de las veces el café llegaba tibio a la mesa, y aquel que a las nueve en punto no acudiera a la llamada del gong, se quedaba sin desayuno, salvo que se granjeara el favor del otrora *steward*. Pero se equivocaría quien pensara que el Argentina había perdido por completo su antiguo esplendor y renunciado a sus aspiraciones de grandeza. El *maître* seguía recurriendo al francés para calmar a los huéspedes que presentaban quejas, obligándolos a esforzarse en busca de las migajas del francés aprendido en el instituto, y las camareras locales, de piel morena, colocaban cada dos días flores frescas en las mesas de las suites con vistas al mar y cuarto de baño propio. Independientemente de la lengua en que le pidieran la cuenta, el antiguo *steward* se obstinaba en llamarla *facture*. Y como la espléndida residencia carecía de salas espaciosas para conversar —aparte del comedor, donde el personal no paraba de poner y recoger las mesas, y un vestíbulo repleto de otomanas de estilo turco, donde los olores de la comida que se colaban del comedor hacían desagradable la estancia—, los huéspedes que se alojaban más de tres días se veían obligados a adecuarse a tal situación de inevitable promiscuidad, codo con codo con gente chismosa que masticaba ruidosamente; a resignarse a una convivencia forzada, hecha de comidas en común, playa común, terraza común y cuartos de baño comunes.

El ambiente, como en todos los lugares de esta clase, estaba saturado de la vibrante euforia que provocan los cotilleos y comentarios indiscretos. Las parejas se dejaban ver a intervalos irregulares y su aparición producía efectos casi teatrales.

—Parece una sauna —apuntó en francés un joven de cutis color café, vestido con un traje de seda cruda, que tenía una sospechosa canicie en las sienes, se diría que artificial.

Animado por sus recientes éxitos galantes, susurró esta frase a una dama croata con la que salía a la terraza por la puerta del comedor, una elegante mujer de Zagreb, llenita y rozagante como una madre joven, que alquilaba unas habitaciones con vistas al mar situadas en la planta baja del Argentina, donde veraneaba con sus dos hijitos y la niñera. El joven caballero color café, que pretendía alardear de su éxito ante los presentes, se mordió el labio lascivamente al susurrar esta banalidad a pocos centímetros del rostro de su acompañante. Las ventanas de la habitación de aquella dama daban directamente a la terraza, y hasta las camareras comentaban en voz alta los pro y los contra de alojarse en la planta baja. Era comprensible que los huéspedes burgueses se viesen turbados por la exuberante vida amorosa de esta joven madre de familia, la cual, mientras sus hijos todavía lactantes dormían en la estancia contigua, hasta hacía tres noches había recibido —a través de las ventanas de la suite— las visitas nocturnas de un oficial de bajo rango de la flota mercante dálmata, al menos eso aseguraban los observadores. Poco después de que el carguero *Dubrovnik II* levara anclas, la fogosa madre de familia, que paseaba todo el día entre la playa y los jardines colgantes con un tomo de poemas de Rilke en la mano —del que no se desprendía ni para ir a la pista de tenis, donde no jugaba ni leía pero sí conversaba amenamente con todos—, había distinguido con sus favores a aquel extranjero de color café, que había aparecido como por arte de magia y del que sólo se sabía que era turco y vestía trajes de seda cruda. El grupo alemán, cuyos integrantes, en solitario o en parejas, se mostraban más bien tímidos y atentos —casi desamparados, como suelen comportarse a veces en el extranjero los hijos de esta gran nación, como si temieran permanentemente ser castigados por algún turbio pecado original—, pero que en grupos eran tanto más atrevidos y dados a la crítica, también se sintieron tentados a comentar la aparición de la fogosa madre croata y su sospechoso acompañante; entre el murmullo con que recibieron a los recién llegados se oyeron irónicos «*balkansitten*» (costumbres balcánicas). Sin embargo, los acogieron con la sonrisa amistosa que corresponde a quienes comparten un mismo desastre climático y una misma convivencia forzada. Era una hora realmente álgida y el calor mitigaba todo prejuicio.

—Me extraña —dijo en voz baja a su vecino la mujer morena de rostro agradable, esposa del caballero barrigón del pijama—, me extraña mucho que la señora tenga ganas con este tiempo.

Fue un comentario de naturaleza empírica y privado de toda malicia, y ambos asintieron con la cabeza.

El caballero turco buscó un sitio para la elegante dama croata.

—Igual que en mi país —dijo al arrimar una silla a la balaustrada, sonriendo impúdicamente, como si le susurrara al oído una confidencia íntima y se encontrase muy cómodo en aquel clima brutalmente tórrido—. Los baños turcos son así de calurosos.

Dos camareras jóvenes, de piel oscura y ojos vivaces y ardientes, a las que el socarrón fabricante alemán solía llamar «indígenas», sirvieron los cafés ante la atenta mirada del antiguo *steward*. El calor afectaba sobremanera a la familia griega, en particular a las mujeres. El cabeza de familia, un veterinario mórbidamente obeso del Pireo, explicaba en un alemán rudimentario los beneficios terapéuticos de ingerir café o té calientes con el calor. El caballero húngaro, a quien sus conocidos llamaban vagamente «señor diputado», comentaba las virtudes del baño caliente, completando así aquel digno y cosmopolita intercambio de opiniones. Por unos instantes pareció que las oleadas de calor les hacían perder el juicio a todos: el silencio inerte fue sustituido por la bulla, el alboroto, las risas nerviosas y el murmullo precipitado de palabras necias en distintas lenguas. Luego, casi sin transición, todos callaron exhaustos. Después apareció la pareja de búlgaros en luna de miel, un abogado de Varna y su esposa, que llevaba una margarita amarilla en su cabellera azabache con tanta devoción como una dama de honor en una boda; la pareja se abrazaba estrechamente, como temerosos de que la terraza fuera a hundirse y no quisieran separarse ni en el momento de la muerte. El oficial de Mostar, que por las mañanas cabalgaba por la costa a lomo de un caballo de alquiler, con la encomiable obstinación de un entendido, aprovechó la ocasión para compartir con sus interlocutores, en un tono enfático y cantarín, una extraña observación: cuando hacía bochorno, él percibía en la boca un sabor «acre y amargo», e ilustró con banal ingenuidad: «como si estuviera comiendo regaliz». Algunos se acercaron a la balaustrada para escrutar el horizonte, como esperando auxilio. Los bastiones meridionales de la ciudad se dibujaban opacamente entre la niebla cálida y difusa; los montones de piedra amarillenta humeaban al inclemente calor. La dama inglesa entrada en años, tal vez la única que a esa hora terrible seguía igual de bien vestida, compuesta e impasible, como si no existiera inclemencia climática alguna, se acercó a la balaustrada para observar los tejidos. También se oía de vez en cuando la voz del fabricante de porcelana, que en medio de su grupo, o sea, seguro y a salvo, vilipendiaba en voz alta la artesanía local, disuadiendo a quienes quisieran comprarle alguna cosa «a esos tipos».

—Todos son unos piratas y unos francotiradores —agregó, denigrando así al vendedor y a la raza que poblaba aquel paisaje áulico y pintoresco, aunque también monótono.

El pastor protestante, que con su escasa indumentaria veraniega de colores claros parecía en cierto modo un apóstata, soltó algunos comentarios doctos sobre las costumbres populares de «esta estirpe balcánica condenada a la extinción», haciendo gala de la deprimente erudición del misionero. El caballero húngaro, que entretanto trataba de convencer a la dama croata de los incomparables efectos refrescantes del baño caliente, abrió un periódico de su país no para leerlo sino para abanicarse. Un hombre con gafas, algo calvo, sin afeitar y pálido como un enfermo del corazón, pidió a la camarera un vaso de agua helada; había llegado unos días antes en solitario, pero hasta entonces había llamado tan poco la atención que ni los curiosos huéspedes del Argentina conocían su nacionalidad. Repitió la palabra *helada* con voz temblorosa y un énfasis inquieto, como si estuviese implorando una medicina. El pastor protestante, que oyó el pedido, se dirigió afable al desconocido y, una vez más con la benevolencia práctica del misionero, capaz de ofrecer remedio a cualquier mal físico o espiritual en un entorno bárbaro, aconsejó:

—Lo peor que puede hacer es beber agua fría con este calor. —Lo dijo en alemán, con la familiaridad que se merece el prójimo. Pero al no obtener respuesta, ni siquiera un gesto, alzó los hombros y se alejó.

Entonces fue el vendedor ambulante el que acaparó la atención general: se arrodilló inesperadamente ante la dama inglesa y, en esa postura, le sonrió como hacen las figuras secundarias de los monumentos a los padres de la patria; con una mano extendió sus tejidos rayados ante la dama, como pidiéndole que los pisara y que, de paso, aceptara su vida y su sangre. Esa pantomima muda y desmañada hechizó a todos los presentes. Pasaron varios minutos así.

Y por un instante, aquella variedad de acentos innegablemente balcánicos —donde las palabras alemanas, bruscas y erizadas de consonantes, resonaban como las órdenes de un pueblo invasor—, así como los suspiros, gemidos y risitas nerviosas, alcanzaron su punto de ebullición y se fundieron en un único gorgoteo vacilante. Si alguien se hubiera asomado a la terraza del Argentina en ese momento, habría visto una extraña pantomima, una escena de ópera empalagosa, en la cual el coro caótico y llorón que se agolpa con sus disfraces exóticos, calla de pronto y todos esperan a que por fin haga acto de presencia el tenor, naturalmente triste y acongojado. Sólo que no apareció ningún tenor. Únicamente sonó el gong del comedor y el antiguo *steward*, abriendo la puerta con cierta teatralidad, como un extra que pese a su insignificante papel interpreta al mismísimo destino, se asomó y llamó:

—*Monsieur Askenasi!* —Y bajando la voz, añadió en su obsesivo francés—: *On vous demande à l'appareil!*

No causó mayor sorpresa que quien se alzara de su butaca fuese el hombre de gafas, el caballero pálido que acababa de pedir un vaso de agua helada. Lo miraron de reojo pero con detenimiento, como si lo vieran por primera vez. Por unos instantes lo siguieron con la mirada.

—*Es-ist-fast-kaum-aus-zu-halten* (Es casi inaguantable) —farfulló silabeando el fabricante de porcelana y se puso en pie.

Todos miraron al cielo con súbita furia, como si alguien, en contra de lo convenido, los hubiera engañado. El fabri-

19

cante apuró su café y se dirigió al comedor. Desde el interior se oyó cómo repetía lacónicamente y en tono quejumbroso: «*Kaumauszuhalten.*» En la primera planta, una camarera iba cerrando las verdes contraventanas, una por una. Los miembros del grupo se retiraron a sus respectivas habitaciones. Había llegado la hora del segundo turno del almuerzo.

¿El señor Askenasi? ¿De Ostrava?

—*Warten Sie mal! Askenasi...* —murmuró el fabricante de porcelana en tono confidencial, colocando una mano sobre el brazo del conserje—. *Askenasi, Askenasi. Mir scheint, er ist aus Ostrau.*

Pero, antes de que el conserje pudiera responder, se abrió la puerta de la cabina telefónica y salió el caballero desconocido de las gafas, tosiendo sofocado. Se enjugó la frente, pálida y cuadrada, con un pañuelo estrujado; debía de haberlo tenido arrugado y empapado en la mano durante los seis minutos que había durado la conferencia. Se encaminó hacia el mostrador de recepción, pero de pronto se detuvo y se metió cuatro dedos de la mano izquierda bajo el cuello de la camisa; luego se secó distraídamente la mano en el pantalón.

—Esta noche debo salir de viaje —le dijo al conserje con voz ronca—, si es que consigo plaza en el coche-cama —añadió.

El fabricante se colocó junto a la puerta giratoria y, con el gesto inocente y astuto de un detective privado que teme ser descubierto en el curso de una investigación, se puso a estudiar el anuncio de la compañía naviera local.

—¿Alguna noticia desagradable, señor? —preguntó el conserje en alemán y se dispuso a consultar el horario. Al no obtener respuesta, informó con tono formal—: El coche-cama sólo lo acoplan al tren en Split. A las siete de la mañana sale un barco. ¿Prefiere viajar por Zagreb o por Venecia?

Estaban inclinados uno hacia el otro, los codos apoyados en el mostrador, con las cabezas a punto de tocarse. El desconocido, con aire casi emocionado, se sonó largamente la nariz en el pañuelo, ya más que arrugado.

En ese instante pasó por el vestíbulo la dama de pelo rubio ceniza, aquella mujer de piel muy pálida que soportaba las inclemencias del tiempo con absoluta desenvoltura; se detuvo también junto a la puerta giratoria y por un momento escudriñó con perplejidad la carretera, en la que el viento ardiente arrastraba nubes de polvo. El desconocido y el conserje hojeaban horarios y folletos con gestos afectados, sin naturalidad alguna; el forastero, quizá inspirándose en algún recuerdo cinematográfico, había adoptado una típica pose de hombre de mundo, muy apropiada para un vestíbulo de hotel.

—Pues hay un barco —susurró el conserje de repente con aire confidencial, y como si de arreglar una cita frívola se tratase, esbozó una amplia sonrisa, enseñando unos grandes dientes grisáceos, aunque la frente siguió pesarosa y arrugada—. Un barco que es, en cierto sentido, propiedad de la casa. El *Kumanovo*. Una embarcación de lujo… el barco más bello de estas aguas —añadió con repentina efusividad, como si se hubiera decidido a hacer una declaración. Su voz delataba una especie de pasión.

Con la mirada clavada en el mostrador, el desconocido frunció el ceño e hizo una mueca.

—¿El *Kumanovo*? —repitió—. Ya, ese barco estrecho… —Hizo una pausa, nervioso, y con un gesto vacilante, casi infantil, se llevó la mano a los labios. ¿Qué se traerían entre manos con ese *Kumanovo*? El *steward*, el criado, el barman, las camareras, todos habían mencionado el *Kumanovo*, el barco por excelencia, cuando el primer día había preguntado por embarcaciones para ir a Kotor, y todos protestaron airados cuando había solicitado información sobre otros barcos. El

22

Kumanovo era una embarcación estrecha, inestable y, como ya había experimentado, en nada se diferenciaba de los barcos de vapor que circulaban por la costa; el único indicio de su supuesto lujo eran las dos palmeras que decoraban el salón. Cediendo a la insistencia del personal, había optado por dicho barco para la excursión a Kotor, pero luego se arrepintió amargamente de su ligereza, porque en el trayecto de regreso, por la noche, había sufrido mareos a bordo de aquella insegura embarcación. El *Kumanovo* parecía una extravagancia local: veinte años después de su botadura, lo que fuera el yate de placer del propietario del Argentina, a ojos del personal del hotel y los lugareños seguía siendo el colmo del lujo, de la navegación y de toda belleza terrenal. Askenasi parpadeó turbado—. Lo siento, pero... —dijo con un gesto vago para no herir la sensibilidad del conserje, quien, al igual que el resto del personal, no hubiera consentido críticas al esbelto ídolo—. Es que... bueno, debo estar en Split mañana por la noche —arguyó por fin.

Continuaron hablando en voz baja. La mujer de cabello rubio ceniza recorrió dos veces el vestíbulo con aire apático. Caminaba como una libélula anémica, con su cuerpo frágil y descarnado, sin pretensiones pero al mismo tiempo con una suerte de injerencia pasiva. En la primera planta se oía un rumor de puertas que se abrían y se cerraban. A la hora de la siesta, como en todo lugar donde personas de vacaciones se entregan a la digestión de abundantes platos y a la intimidad de la unión conyugal, reinaba una atmósfera de sensualidad casi palpable e impúdica.

—Bien, *Kumanovo* o no *Kumanovo* —dijo por fin el desconocido y se encogió de hombros—, deme la llave, por favor. A las siete de la mañana, pues. Yo mismo iré por el billete del coche-cama cuando esté en la ciudad.

Cogió la llave y se encaminó hacia la escalera.

—*Zwoundvierzig* —dijo entonces la mujer de cabello rubio ceniza, en voz demasiado alta y acercándose al mostrador.

El conserje se quitó la gorra y le tendió la llave de la habitación cuarenta y dos. La mujer, con aire de haber tomado una decisión y abandonando su impaciente mutismo, había pronunciado el número de su habitación como quien hace una importante declaración. Sorprendido, el desconocido se detuvo al pie de la escalera y el fabricante de porcelana también se volvió hacia ella. A todas luces había sucedido algo. El conserje, con discreción profesional, miró el techo. La mujer, sin prestar atención a ninguno, pasó por delante del desconocido con paso sereno y firme, estirada, la cabeza altiva y sin mirarlo, y sus delgadas pantorrillas empezaron a subir los peldaños con la liviandad con que un insecto de finas patas trepa por una rama. El desconocido la siguió con la mirada. El fabricante, descarado y vulgar conforme a su naturaleza, se acercó presuroso a la escalera para contemplar un poco más la figura que se alejaba. «No es mujer para ti», pensó Askenasi con malicia. Sonrió y se encogió de hombros. El fabricante malinterpretó la sonrisa tomándola por señal de complicidad masculina; pero el desconocido, adelantándose a su pregunta, subió tras los pasos de la mujer. «En realidad, no me gusta», pensó entonces; más tarde, incluso años después, al acordarse de esa observación sentiría un desconcierto agobiante: ¿por qué había introducido ese «en realidad»? Al llegar al rellano volvió la cabeza: el conserje seguía tras el mostrador, con la gorra en la mano, sonriente, y el fabricante continuaba con la boca abierta, parpadeando casi con indignación, turbado y confundido, como si hubiera recibido unas instrucciones inesperadas que no comprendía del todo. El mensaje no tenía un destinatario concreto, lo que lo hacía aún más desconcertante. Intercambiaron miradas de entendimiento pero inseguras; el conserje le dio la espalda con lentitud, como rehusando asumir responsabilidad alguna por las posibles consecuencias. Entonces Askenasi continuó hacia la primera planta. En el descansillo sintió un extraño vértigo —más adelante, aunque sin mucho resultado, se referiría a ello con énfasis, como a una circunstancia de gran relieve, de especial importancia, tal vez decisiva, pese a que no pudiera explicárselo a nadie—, el vértigo de haber estado anteriormente en aquella misma escalera, vestido con la misma ropa y los mismos zapatos, en las mismas circunstancias, después de haber salido de la cabina telefónica, donde había oído las mismas palabras que hacía un momento, y de haber seguido los pasos de aquella mujer que con su acento berlinés pronunciaba *zwo* en lugar de *zwei*. Era el vértigo de vivir un espejismo que sin embargo era real, un espejismo en el que podía moverse físicamente, desligado del tiempo y el espacio. «Pero si todo esto es un fenómeno harto conocido —pensó distraído—. Bergson lo explica muy bien.» Apretó el paso y se quitó las gafas para restregarse los ojos con una mano húmeda. Sin gafas, vio a la mujer lejana y borrosa, a unos diez metros de él. Ella no se volvió, sino que continuó hacia el ala del edificio que daba al patio interior del segundo piso. Pareció aminorar el paso al llegar al recodo del pasillo. Askenasi creyó recordar que más adelante, durante una breve conversación, incluso le preguntó por qué había aminorado la marcha, y que al preguntarlo sintió una infinita tristeza. Le pareció imposible que fuera una equivocación. Uno no sólo *ve* los detalles de una escena importante; de momento estaba dispuesto a explicarse aquella lentitud insinuante y seductora de la mujer como un malentendido debido a su miopía, pero todos sus sentidos no podían engañarlo en ese instante crucial: oía y percibía que la cadencia de los pasos se enlentecía.

Hubo un instante, cuando Askenasi se quitó las gafas, en que la mujer, con sus frágiles pisadas de libélula, giró hacia la escalera del patio de la segunda planta y avanzó incluso de manera tangiblemente más lenta y vacilante, más insegura que cuando uno se dirige a un sitio determinado. Al fin y al cabo, uno no sólo se comunica con palabras. Posteriormente pensaría que la mujer incluso se había parado un momento antes de perderse de vista en aquel pasillo en penumbra, pero puede que sólo fueran imaginaciones suyas. Claro que si se hubiera detenido… De todos modos, él sí se detuvo para limpiarse las gafas, y sólo empezó a ver con nitidez cuando la mujer ya había desaparecido de su campo visual. Curiosamente, aquel vértigo, aquel espejismo todavía se mantenía cuando llegó al tercer piso, pese a que había subido la escalera con extrema lentitud y tal vez habían pasado varios minutos desde que abandonara la recepción. Pero el espejismo se mantenía —era como un vago recuerdo: paseos estériles por calles de ciudades extranjeras, siguiendo a una u otra mujer, pasillos de hoteles tras los pasos de mujeres que no se volvían, el borde de un vestido que se vislumbra desde el ascensor, la cabina rezumando el perfume dulce y denso de la dama—, mas aunque se mezclaban imágenes de situaciones similares, aquel instante pertenecía exclusivamente a aquella desconocida. Mientras introducía la llave en la cerradura, más lenta y torpemente de lo necesario, escuchaba los ruidos de la planta de abajo. «La llave ahora se quedará atascada —pensó con curiosidad—, también me acuerdo de esto. Se atascará en la cerradura y tendré que moverla ligeramente en posición horizontal hasta que se desencaje y abra la puerta.» La cerradura cedió sin demasiada resistencia y Askenasi sonrió satisfecho. Todo se repetía como en un guión, siguiendo una especie de regularidad constante. Pero en ese preciso momento volvió a sentir el mismo dolor agudo que lo había fulminado en la cabina telefónica hacía escasos minutos; un dolor desconocido, totalmente nuevo, en un punto indeterminado entre el estómago y el corazón —golpe, espasmo o temblor, no sabía cómo definirlo—, tan fuerte que de pronto se dobló y casi cayó sobre el picaporte. Tras ese golpe repentino, la puerta se abrió sola. Permaneció unos segundos sin moverse, apretando el picaporte; luego se enderezó con un leve gemido, entró en la habitación y cerró la puerta con la llave.

—*Nein, beileibe, doch nicht aus Ostrau* (No, seguro que no es de Ostrava) —dijo el fabricante de porcelana—. *Ich kenn' ihn doch. Ist wohl 'n Advokatenfritze!* (Yo lo conozco bien. Es abogado.)

—El caballero ha llegado de Múnich —precisó el conserje, demostrando que no era su deber mostrarse discreto respecto a los huéspedes. Y apoyó los codos en el mostrador.

—*Ein Reichsdeutscher also?* —comentó el fabricante con aire pensativo—. *Heist wohl Karl? Ich kenn' ihn doch.* (¿Un alemán del Reich? ¿Se llama Karl? Pues lo conozco.)

—*Viktor Henrik* —lo corrigió el conserje y se inclinó sobre el libro de registro—. *Viktor Henrik Askenasi. Wohnhaft in Paris.*

—*Ach, Paris* —dijo finalmente el fabricante.

Por el tono que utilizó, el conserje no supo si la información de que el desconocido vivía en París le provocaba alegría y confianza, o más bien desilusión y reserva.

«Ridículo. Por una mujer…»

Askenasi —o, como precisó el conserje, Viktor Henrik Askenasi— entró en su habitación, cerró la puerta con llave y permaneció unos instantes en el umbral. Luego dijo a media voz: «Ridículo. Por una mujer…» Apenas lo hubo pronunciado miró alrededor, nervioso, para asegurarse de que nadie lo había oído. Los tabiques del Argentina, según había comprobado la noche anterior, eran muy delgados. Se acercó a la ventana y cerró los postigos. Su bañador estaba sobre el alféizar y el agua que aún goteaba había formado un charco en el suelo, junto a la pared. Apoyó la frente contra la celosía del postigo y se quedó observando el mar. «Pero ¿por qué iba a ser ridículo? —pensó—. ¿Por una mujer? A veces Eliz, cuando tenía miedo, decía descarada y desafiante: sólo soy una mujer… Como si uno dijera: sólo soy el Niágara.»

Desde allí se veía en toda su amplitud el arco que formaba la bahía: la isla verde negruzca enfrente, cuya oscura silueta se distinguía nítidamente del mar gris, y el barco británico de tres chimeneas que había llegado la noche anterior, anclado en la bahía y en cuya dirección iban y venían desde la madrugada dos motoras blancas que trasladaban a los turistas a la costa, a los que oficiales de uniforme blanco guiaban luego en grupos por las angostas callejuelas de la ciudad. Un oficial rechoncho, al que Askenasi había observado con sus prismáticos por la mañana desde la playa, estaba ayudando a tres damas vestidas de gris y tocadas con sombreros florentinos a descender por la escala colgada del barco hasta la motora. «Ésos sí que viven la buena vida —pensó, mas para no faltar a la verdad añadió—: Pero sin duda también sufren.» Pese a su penosa situación, observaba con gusto el barco, que era voluminoso e impecablemente blanco; en la popa, encima de los ojos de buey de los camarotes, llevaba pintada tres estrellas doradas, y en el mástil se agitaba la bandera británica, la yugoslava y otra más que no reconoció. Todo ello parecía tan cercano y la luz marcaba las líneas con tanta nitidez que Askenasi —nadador poco experimentado— había sentido la tentación de rodear el barco a nado. Esa tentación lo había asaltado en la playa, mientras estaba echado en una tumbona y observaba la nave con sus prismáticos. En una ocasión ya lejana, en un puerto griego, apoyado en la barandilla de un barco había observado cómo dos pasajeros, una mujer italiana ya no muy joven y su acompañante, se tiraban al agua al anochecer y nadaban mar adentro con brazadas cómodas y distendidas, y una soltura que Askenasi desconocía hasta para moverse en tierra firme. Él nadaba con precaución, se cansaba enseguida y lo invadía la incertidumbre en cuanto llegaba a aguas profundas. «Uno no puede ser experto en todo —se consoló—. Aunque, a decir verdad, tampoco sé patinar.» Pero aquella mañana, al sumergirse en el agua caliente y espesa como el aceite, tal vez engañado por la reverberación solar, no le había parecido imposible rodear a nado el barco británico; sin embargo, apenas hubo avanzado unos metros se desanimó al comprobar que, visto desde la lisa superficie del mar, el navío se encontraba a una distancia insalvable. Igual de lejanos parecían los vapores que navegaban difuminados por la línea del horizonte, tan distantes que ni siquiera podía distinguirse la dirección que seguían. «El agua no es mi elemento —pensó entonces—, por eso todo me parece tan distinto. Desde el agua todo se ve distinto. Hay que regresar a tierra firme.» Esta conclusión lo llenó de estupor porque, mientras con la frente apretada contra la celosía observaba el barco, que ahora de pronto volvía a parecerle prodigiosamente cercano, sintió que no tenía la menor esperanza de «regresar a tierra firme». Se esforzó por contar los ojos de buey bajo la cubierta superior y luego los tubos de ventilación. Lo hizo a propósito, como para ganar tiempo antes de ser llevado al patíbulo o al quirófano, donde sería sometido a tratamientos complicados e inevitables, mucho más penosos que el desenlace final. A paso lento, se acercó a la cama y comenzó a desvestirse.

Dejaba escapar un gemido con cada movimiento. Al quitarse la chaqueta y la camisa, el rostro se le demudó en una mueca de dolor. Continuó con gestos prolijos y precavidos, como si estuviera desnudando un miembro fracturado, por ejemplo un codo roto. Todo movimiento, hasta el más cauteloso, le producía dolor, un dolor ridículo y ardiente que se acentuó de manera lacerante cuando la camisa de seda le rozó la espalda. Siseó entre dientes. Con el torso ya desnudo, en medio de la habitación en penumbra, se colocó ante el espejo del armario y de pronto movió la cabeza con un estupor casi jovial. El pecho, la espalda y —como pudo ver al volver la cabeza— principalmente los hombros brillaban enrojecidos como en carne viva. «Quemaduras de primer grado», pensó. Con las yemas se palpó un punto de los hombros y retiró la mano como si hubiera tocado algo candente: la piel de la espalda, el pecho y los brazos estaba tensa e inflamada. Se acercó más al espejo y vio con satisfacción que el pecho y el estómago enrojecidos estaban surcados por rayas pálidas, porque por la mañana había tomado el sol sobre una roca, con el bañador bajado hasta la cintura, y el sol no había podido tostar los pliegues de la piel. Si se estiraba, parecía una cebra exótica, de rayas blancas y rojas. «Una cebra irregular —pensó, e inmediatamente—: Deformación profesional. Esta manía taxonómica me acompaña con sus fantasías hasta en el espejo.» Pero lo que en ese momento más le sorprendía, causándole casi un temor reverencial, era la previdencia del cuerpo: éste había intuido algo durante la mañana y se había preparado para aquel dolor imprevisible y agudo, se había procurado una especie de antídoto con forma de dolor físico de segundo orden. «El dolor físico viene muy bien en estas ocasiones —se animó—, enfermedad, problemas económicos, catástrofes naturales vienen muy bien en estos casos.» Estaba sentado en el borde de la cama, frente al espejo, con el torso desnudo y las manos en el regazo, observando una imagen poco atractiva: el reflejo de un hombre semidesnudo, ya maduro, de cuarenta y ocho años de edad, miope y de incipiente calvicie. Sí, el cuerpo seguramente prevé estas cosas. Trabaja con otros instrumentos, con informaciones desconocidas. En él aún opera el instinto que a los animales les permite presentir la tormenta con varias horas de antelación. Uno no se deja achicharrar por el sol porque sí; había tenido a mano el bote de aceite protector comprado por la mañana, pero no lo había tocado. Se movió un poco y gimió de dolor. «Es maravilloso que el cuerpo se ocupe así de uno —pensó—. Y bondadoso. Inteligente.» Suspiró hondo, como un niño. Se tumbó en la cama con sumo cuidado, gimió, se quitó las gafas con una mano y se estiró así, sin soltar las gafas; colocó el otro brazo bajo la cabeza y cerró los ojos.

Minutos después llegó el desengaño: con cierta inquietud, comprobó que no notaba nada. «Es como el dolor de muelas —pensó—: primero te amenaza y luego se alivia.» Pero él no quería esquivarlo: «Hay que pasar por ello; ya que estamos así, hay que pasar por todas las etapas y consecuencias; de otra forma, jamás se curará. Si tiene que doler, que duela.» Se quedó inmóvil a la espera del familiar dolor. Imaginaba que ahora, inmediatamente después de su cara a cara con la certidumbre, el dolor que hasta entonces sólo había dado ligeras muestras de su poder, lo arrastraría como un tifón, lo zarandearía, lo lanzaría por el aire, tal vez le arrancaría un brazo o una pierna. No sería la primera vez. Pero siguió sin sentir nada. Bostezó. Pronunció el conocido nombre, primero en voz muy baja, y cuando este atrevimiento quedó sin consecuencias, lo pronunció dos veces más, con rapidez y descaro, a media voz. «Ahora debo prestar mucha atención —pensó—. Es posible que me muera, pero eso no sucede de un momento para otro: como quien se inyecta la bacteria de la peste, tengo que prestar atención a cada síntoma, anotarlo, y tal vez más adelante puedan aprovecharlo otros.» Sentía un altruismo sincero, una buena voluntad profunda y desinteresada. Quería anotar cada síntoma hasta el último instante, cuando el dolor ahogara el control de la razón. Sabía que le resultaría muy difícil: cuando la enfermedad se desencadena, lo primero que paraliza son los centros nerviosos. En todo caso, debía tener en cuenta que se había contagiado, y estaba resuelto a entregarse plenamente a la enfermedad, pero sin dejar su puesto de observación ni por un instante. «También hay medicamentos —pensó—, pero ¿para qué sirven? Algunos recurren a la metodología. Tal vez sólo sea una anécdota, pero dicen que Kant olvidaba las cosas metódicamente; un día tuvo que despedir a su criado Lampe, al que quería mucho, porque lo había pillado robando. Lo echó, pero le apenó mucho. La imperfección del ser querido no mitiga el dolor de su pérdida. Anna es sin duda una mujer superior a Eliz, y sin embargo no la amo. Más adelante, Kant escribió en una pizarra y en mayúsculas que debía olvidar a Lampe. Cada día pasaba una hora mirando la pizarra: "Debo olvidar a Lampe." De poco sirve viajar, bucear, trabajar duro, cambiar de aires, divertirse o buscar compañía. Los métodos no son de fiar. Tal vez no haya métodos de validez general para curarse. Uno muere de forma personal, arbitraria, haciendo caso omiso de los métodos ya probados.» Levantó la mano, la colocó ante sus ojos miopes y la observó. No le hubiera sorprendido ver extrañas manchas, inflamaciones de tinte morado, estigmas. Debería tener algún indicio. Si uno tiene apendicitis, le cambia el hemograma. «Tal vez debería tomarme la temperatura.» La postura le resultaba incómoda y le irritaba notar nimiedades así. Esperaba los indicios con impaciencia, la infección ya tendría que producir algún efecto, en uno o dos minutos pasaría algo, sin duda, tal vez se iniciara con un simple dolor de cabeza, o como la septicemia y la erisipela, con erupciones insignificantes; los estreptococos, por lo demás tan inofensivos, producen una infección en determinado punto del cuerpo. Tal vez tendría que recordar algún detalle, pensó. En ese instante le vino a la mente toda una serie de detalles, detalles que no llegaban uno tras otro, sino todos pegados, apelmazados en un racimo, una mano, unos zapatos, un acento, una valla en una esquina, en algún punto cercano a la École Militaire. Los detalles aparecían complacientes ante su llamada, el racimo colgaba ante sus ojos, pero no sentía deseos ni sed de arrancar ninguna fruta. Sintió miedo. «Tal vez me he curado —pensó y se incorporó—. Tal vez no sea verdad. Es que aquí no hay nada, nada de nada.» Se levantó asustado, parpadeó. En ese mismo instante lo atenazó el dolor —aquel extraño espasmo, entre el corazón y el estómago—, lo atenazó y lo arrojó sobre la cama. Cayó boca arriba.

Las gafas se le cayeron al suelo. «Es peor de lo que me imaginaba», alcanzó a pensar medio inconsciente, con susto, satisfecho de sentir que «algo había». Subió las rodillas dobladas hasta el estómago, como retorcido por el dolor, y empezó a hipar a intervalos regulares, con la respiración entrecortada.

Viktor Henrik Askenasi había llegado cuatro días antes a aquella antigua ciudad; había embarcado en Split y en principio pensaba hacer un viaje más largo, visitar una isla griega. Pero ya durante la noche, en el tren, notó unas señales que le advertían que su empeño era una empresa desesperada. Cuando estaba por partir de Múnich —donde había pasado tres días tranquilos, llamativa, casi sospechosamente tranquilos, en compañía de gente de su misma profesión, algunos de los cuales sólo conocía por sus obras o cartas—, en la estación, mientras se ocupaba del equipaje y del mozo, lo asaltó de pronto la sensación de haber olvidado algo en el hotel. El susto que le produjo ese sentimiento de pérdida era desproporcionado con la importancia de los objetos que había llevado consigo. Su equipaje yacía junto a él en el suelo de hormigón de la estación, el mozo bávaro cargaba con todo sin falta: una maleta, un bolso de mano, el paraguas y el bastón de paseo enrollados en una manta de pelo de camello. Se palpó los bolsillos, pero encontró en su sitio la billetera, el pasaporte, sus notas, incluso un horario de trenes. Confió el equipaje al mozo y, como aún faltaban ocho minutos para la salida del tren, volvió —mejor dicho, cruzó corriendo la plaza— al hotel, situado enfrente de la estación. Haciendo caso omiso de las preguntas del asombrado portero y del atento, aunque un poco indignado, director, pidió la llave de la habitación donde había pasado tres días agradables y placenteros, y subió al segundo piso a toda prisa, saltando los peldaños de dos en dos, sin esperar la llegada del ascensor. En ese momento estaban limpiando la habitación. Había un criado escoba en mano delante del lavabo y la camarera estaba cambiando las fundas a las almohadas. Sin pronunciar palabra, se dirigió a la cama y levantó el edredón. Luego, ante los ojos pasmados de aquellos que, conscientes de su inocencia, adoptaron un aire levemente ofendido, arremetió contra los cajones de la mesilla de noche, la mesa y el armario, revisándolos con vehemencia febril, miró debajo de la cama, apartó las cortinas y movió el sofá de su sitio. Pero no encontró nada. A las ásperas preguntas del criado y luego del director del hotel sobre si se había dejado algo, respondió de manera confusa y evasiva —que sí, que recordaba haber olvidado algo, pero no estaba seguro, tal vez no lo había dejado en el hotel, sino en otra parte—, pero al ver el estupor indignado del personal, balbuceó unas palabras de disculpa, excusándose —tenía que revisar mejor los bolsillos, tal vez lo había dejado en el bolsillo interior de la chaqueta del traje—, pero no aclaró qué había perdido y por qué lo buscaba tan desesperadamente. Salió de la habitación reculando, profundamente avergonzado de su comportamiento atolondrado, y al bajar la escalera continuó disculpándose en términos muy poco convincentes ante el director, que le seguía los pasos ya con ceño y expresión seria.

—El señor puede estar completamente tranquilo —dijo el director mientras lo acompañaba hasta la puerta—. La reputación de nuestro hotel es intachable, y aunque se encuentra en las inmediaciones de la estación, no debe confundirse con las pensiones de una noche frecuentadas por gente de dudosa reputación. Éste es un establecimiento de carácter familiar, donde nunca ha desaparecido nada por culpa del personal. Además, la honradez de los alemanes es consabida en todo el mundo.

Y añadió que él mismo respondía plenamente por el personal: si alguien dejaba algo olvidado en el hotel, se le pedía que describiese minuciosamente el objeto perdido y facilitara la siguiente dirección donde se alojaría. Él, el director, dirigía personalmente las pesquisas y, en cuanto el objeto aparecía, se encargaba de remitírselo sin demora al cliente. Se habían parado en la puerta y el director ya estaba exigiéndole una respuesta en tono imperioso.

—Sí, sí —dijo Askenasi en voz baja y cohibida; si aquella cosa, aquel objeto, aparecía en el hotel, enviaría un telegrama pidiéndole que se lo mandasen por correo, y se excusó otra vez: es que últimamente estaba algo distraído, se había dejado varias veces la camisa de dormir en hoteles; pero no tenía importancia, era sólo que en la estación, al examinar el equipaje, había tenido la sensación de que le faltaba algo.

—*Ach, die Herren Professoren!* (¡Caramba con los señores profesores!) —dijo el director con tono de reproche jovial.

36

Askenasi respondió al burdo comentario con una breve sonrisa y un gesto de la cabeza, y sin más volvió a toda prisa a la estación, donde el mozo ya había colocado su equipaje en el compartimento. Saltó al tren que acababa de ponerse en marcha y, sin prestar atención a la sorpresa de sus compañeros de viaje —un terrateniente bávaro que fumaba en pipa y un anciano de aspecto extranjero, posiblemente holandés, que viajaba con pasaporte diplomático y observaba el comportamiento inusual y alterado del recién llegado, primero con gesto compasivo y luego con las cejas arqueadas por el asombro—, se puso a revolver su equipaje como un poseso, removiendo todo lo que había remetido sin orden ni concierto en las maletas.

Aquella sensación de pérdida lo atormentaba tanto que ni por un instante dudó que el objeto extraviado, en el hotel o aun antes, fuera algo valioso e imprescindible. «Sí, caramba con los señores profesores», se lamentó con ironía mientras hurgaba con manos nerviosas entre sus posesiones, trajes, ropa interior y libros. Sin embargo, acabó por renunciar a aquel empeño tan alocado como baldío: allí en el compartimento no podía vaciar su equipaje hasta el último pañuelo, y en medio de su diligente búsqueda vacilaba una y otra vez, ya que, por mucho que se esforzara, no lograba recordar la naturaleza ni el tamaño del objeto cuya falta tanto lo inquietaba y que buscaba como si en ello le fuera la propia vida. Se acomodó en su asiento de ventanilla, pero dejó una mano descansando sobre el equipaje cerrado a duras penas, como dispuesto a reemprender la búsqueda apenas recordase algún indicio acerca del objeto perdido. Miró por la ventanilla con expresión torva y resentida, con la frente arrugada, sin prestar la menor atención a sus compañeros de viaje. Más tarde recordaría que por el camino se había registrado varias veces los bolsillos, y examinado minuciosamente la billetera, pero todo estaba en su sitio. Pasó la noche sin apenas moverse; sentado junto a la ventanilla, el rostro le quedaba oculto tras un abrigo colgado de la percha, y en esa posición segura y protegida, dormitando unas veces y desvelado otras, hizo el viaje sin probar comida ni bebida alguna.

Después de medianoche se tranquilizó un poco. No podía hacer nada; había de esperar hasta llegar a la habitación del siguiente hotel. Allí sí podría deshacer por completo el equipaje, mirar cada uno de sus bolsillos y revisar sus notas; entonces se acordaría y tal vez lo encontrara. Ese estado irracional —que estudió con espíritu crítico y suma atención durante horas, analizando el fenómeno en todos sus aspectos, y más adelante, al mitigarse la primera emoción y dominarlo el cansancio del monótono viaje, incluso con cierta ironía— había surgido de la simple sensación de falta que, entre sus bolsos, lo había asaltado en la estación ferroviaria de Múnich. El susto, casi pánico, de haber perdido algo y su vergonzoso comportamiento en el hotel no se justificaban por una camisa de dormir olvidada. Hizo un inventario mental de las cosas que había llevado y de lo que pensaba hacer durante el viaje, pasó revista a sus pantalones de tenis, las gafas de sol, las fotos de Eliz, el papel con sus anotaciones y aquel estudio de un colega suizo sobre los restos de inscripciones en lengua retorromana que pensaba leer durante el viaje; lo encontró en el bolso más pequeño, en compañía del colutorio y de la navaja de afeitar; no, aparentemente, no había perdido por el camino nada de lo que había llevado. «Suele pasar que uno se olvida de algo y luego no le viene a la cabeza... —pensó con triste resignación—. Mejor no insistir.» Pero la sensación de falta, como una lucecita, no paraba de advertirle que en la estación de Múnich no se había asustado sin razón.

De madrugada, con las primeras luces del alba, el tren se detuvo para repostar agua en una estación perdida en medio del desolado paisaje del Karst; un funcionario de gorra roja y cara somnolienta se asomó a la ventana de la estación y a su espalda, al fondo de la habitación, se veía la cama aún tibia, con mantas coloridas, y en ese momento cantó un gallo; toda la imagen surgía opacamente desde la distancia insalvable de una vida extraña y sin esperanza. Cuando Askenasi contempló por la ventanilla aquel paisaje de claridad fría y grisácea, la sensación de falta le causó tanta ansiedad que se dirigió con rapidez al vagón restaurante, donde ya estaban sirviendo el desayuno. Aunque no solía desayunar demasiado, esta vez comió con exageración, bebió agua mineral y luego una copa de coñac, con la esperanza de que aquello que lo atormentaba fuera un nerviosismo somático, quizá algún tipo de sed o hambre hasta entonces desconocida. «Si uno está a punto de cumplir los cincuenta, cuando el cuerpo vive su primera gran crisis, suelen manifestarse síntomas así», reflexionó. Ya saciado, se quedó en la mesa en ese estado vacuo y necio que provoca la ausencia de deseos físicos y espirituales, se fumó un puro —cosa que no solía hacer— y contempló el paisaje ampuloso y desolado, que con sus agrestes picos y precipicios le recordaba a una persona que emite un grito desgarrador sin motivo aparente. Se quedó así sentado largo rato, algo aturdido por la bebida y la abundante comida, en el ligero y cálido letargo de la digestión, y entonces, como quien cede ante una fuerza superior, constató resignado que aquella absurda y exasperante sensación de falta no se había aliviado, que nada tenía que ver con el hambre y la sed, y de nuevo estuvo seguro de que había olvidado o perdido algo por el camino. Permaneció con la mirada extraviada, indiferente, hasta que el trajín de los camareros a su alrededor, recogiendo y poniendo las mesas y cambiando los ceniceros, le advirtió que era hora de ceder su sitio a los pasajeros que iban llegando hambrientos, sin afeitar y oliendo a colonia.

En el puerto de Split, al subir al barco, que no era demasiado grande pero sí hermoso y acogedor, lo recibieron con la grata noticia de que podría viajar en un camarote él solo, ya que en el último momento el caballero que iba a ocupar la litera superior había anulado su reserva. La nave estaba lista para zarpar y Askenasi bajó enseguida al camarote, sin prestar atención a las vistas del puerto, que se despertaba poco a poco bajo una tenue llovizna, ni a aquel atractivo panorama rebosante de decorados de la época de Diocleciano. Pidió que le prepararan un baño, se encerró en el camarote y deshizo su equipaje con meticulosidad. Pese al largo viaje en tren no sentía cansancio, más bien estaba irritable y melancólico; llamó al camarero, pidió agua mineral, le mandó reservar una tumbona en la cubierta y colgó sus trajes en las perchas del armario como si se estuviera instalando para una larga temporada, como si fuera a cruzar el océano y no tuviera que abandonar el barco a la madrugada siguiente. Se ocupó del equipaje sin prisas, desdobló hasta las camisas y descubrió con alivio que había dejado en casa la cajita de los botones de esmoquin, aquella cajita de madera tallada con la inscripción «Recuerdo de los montes Tatra», en la que guardaba y coleccionaba desde hacía una década todo tipo de botones de camisa. «Entonces, era esto», pensó con alegría, comprendiendo por fin qué había echado en falta. Y como quien se ha temido algo mucho peor, como quien acaba de comprobar que las manchas que cubren su piel no se deben a la fiebre tifoidea sino que son una simple urticaria, pletórico de buen humor fue a darse el baño, disfrutó largamente del agua de mar caliente, se afeitó con esmero y, una vez aseado de la suciedad del viaje en tren, se puso su mejor traje —algo arrugado—, se caló su gorra deportiva, se anudó al cuello un pañuelo de lana y, tras coger los prismáticos y un libro de viajes de tapa roja, subió a la cubierta por la empinada escalera para despedirse de la noble ciudad de orígenes clásicos con la misma placidez que había caracterizado su estancia en Múnich. Por la escalera, al palparse los bolsillos en busca de los cigarrillos, en el trasero del pantalón, llamado bolsillo del revólver, sus dedos se toparon con un objeto rectangular: era el «Recuerdo de los montes Tatra», lo supo nada más tocarlo, lleno de botones de esmoquin y otros juegos de botones comprados en cafeterías a ocasionales vendedores ambulantes y que documentaban el notable desarrollo de la producción botonera de los últimos años. Se quedó mirando la cajita contrahecha con una expresión amarga y desconsolada, tan ensimismado que no oyó a su espalda el tímido y quedo «perdón» de una dama mayor que, al no poder pasar por su lado, llevaba ya minutos contemplando la cajita mágica, sin encontrar explicación a la expresión de desespero de aquel distinguido caballero… Dejó pasar a la dama, subió los peldaños tras ella a paso lento, cabizbajo, como quien después de esconderse infructuosamente se enfrenta por fin a la verdad y, sin querer ya defenderse, se rinde.

Pasó las veinticuatro horas de la corta travesía sin pegar ojo, por la noche ni siquiera bajó al camarote, se echó sobre una tumbona en un rincón de la cubierta resguardado del viento, dormitando y despertándose a ratos. Navegaban bajo un cielo estrellado, sin nubes. Para el mediodía del día siguiente ya se había disipado la niebla cálida y sobre el agua empezaba a soplar un viento caliente; sólo la brisa generada por el avance del navío aliviaba la sensación opresiva que provocaba el siroco. Dio un recorrido por el barco sin demasiado interés; el comedor, con su suntuosidad decadente y detallista, recordaba en todo la sala de primera clase de un restaurante ferroviario de la Austria provinciana; en las mesas con cubierta de cristal del salón había esparcidas viejas postales alemanas y ajadas revistas satíricas serbias, para solaz de los turistas, y en las paredes, junto a la fotografía de tamaño casi natural de los reyes, se alineaban antiguas viñetas enmarcadas del *Punch*, escenas de carreras de caballos y otras más amenas sobre la vida en el mar. Aquel ambiente de provincianismo recargado y sofocante lo deprimió. Se preguntó si, al ceder a la insistencia de sus amigos en que pasara «dos semanas en un lugar tranquilo», había acertado viajando hasta allí, a ese rincón olvidado, donde todo le parecía mezquino, hasta el paisaje y el mar; un sitio donde uno podía encontrar la versión flotante de un restaurante ferroviario austriaco, donde por la noche soplaban vientos bochornosos y donde —constató con tristeza y culpabilidad— no había nada en absoluto que le atrajera. Durante horas se quedó tumbado boca arriba en la cubierta, con las manos entrelazadas debajo de la cabeza, mirando pasar la costa relativamente cercana. Se sucedían pequeñas ciudades medievales hacinadas, con casas brillando como tizas blancas al sol de mediodía; eran ciudades limpias y tristes, con campanarios y —lejos de su lugar de origen— leones alados venecianos meneando la cola en las fachadas. En uno de los puertos había un sacerdote anciano que, tocado con un sombrero de terciopelo verde, comía una naranja con la avidez de las personas mayores mientras miraba con necedad el barco que se acercaba; cada poco se limpiaba en la sotana una mano manchada de jugo. Y sobre los grupos de ociosos que holgazaneaban en los muelles, sobre el paisaje y las ciudades resignadas a su insignificancia, la inexorable luz del sol ardía como una cruel fatalidad. «Carecen de literatura —pensó con indiferencia—. ¿Cómo podrían tenerla con este clima? Además, su lengua está plagada de consonantes.» No valía la pena levantarse de la tumbona y correr a apoyarse en la barandilla de la cubierta entre los demás pasajeros para contemplar aquellos pequeños puertos. En el barco viajaba poca gente; la mayoría, turistas alemanes, veraneantes bulliciosos que entablaban relación con facilidad y que a las pocas horas de zarpar ya habían celebrado el nacimiento de nuevas amistades. Todo ello lo atraía bien poco. «Gente provinciana —pensó distraído, estirándose en su cómoda tumbona—, barco provinciano, paisaje provinciano, destinos provincianos. Sí, ha sido un error venir. —Y a continuación, casi con reproche jovial, se dijo—: Pero bueno, ¿qué me pasa? ¿Qué prejuicios son éstos? ¿Qué significa provinciano? El mundo entero es provinciano.» ¿Por qué y desde cuándo calificaba paisajes y destinos con la arrogante superioridad del hombre de la metrópoli? ¿Qué prejuicio era ese que podría haber pronunciado un bailarín de cabaret parisino? No lo comprendía.

«De todos modos, es provinciano», se obstinó. Se sentía incómodo. Aquel mundo le parecía estrecho, gastado, similar al mundo barato de las postales arrobadoras… y de pronto empezó a sospechar que aquel mundo limitado y apacible le daba miedo, miedo de tener que valerse por sí mismo en un entorno sencillo y carente de atracciones turísticas, y que ese miedo repentino e incongruente a «lo provinciano» no era más que una nostalgia aguda de la metrópoli abandonada por fuerza y sin ganas, donde le bastaba caminar por la calle para sentirse bien. Pero no se atrevió a reconocer por qué se sentía tan bien con sólo andar por las calles de cierta metrópoli.

En realidad, ese «lugar tranquilo», que su familia y amigos le habían descrito de modo tan atractivo y sugerente, le infundía miedo y, sobre todo, lo aburría de antemano. «Estoy predestinado a ello», pensó. Nunca había logrado pasar sus vacaciones en un lugar que no fuera austero, aburrido e insignificante. La gente, e incluso uno mismo, se forma una idea precipitada sobre el carácter de cierta persona y luego esa persona se ve obligada a cargar con las consecuencias el resto de su vida. Todo el mundo —sus padres, más tarde su esposa, su hija, sus empleados y sus colegas— daba por sentado que él, Viktor Henrik Askenasi, tenía que pasar las vacaciones en un lugar tranquilo, lejos del mundanal ruido y los placeres veraniegos, en un lugar serio e insulso, que la muchedumbre amante del jolgorio y los bailes, de los gritos y la amoralidad, rehuía como si fuera una leprosería. Si por casualidad entraba en una agencia de viajes para pedir sugerencias sobre las playas británicas, podía dar por seguro que el empleado —adiestrado para intuir las preferencias de la clientela—, entre las infinitas playas agradables de la isla, le recomendaría la única a donde no iban ni los que tenían vacaciones pagadas por la empresa, y a donde sobre todo acudían pastores anglicanos en busca de recogimiento o para celebrar ejercicios espirituales, y mujeres que se bañaban con ropa de andar por casa. Por otro lado, tal vez se hubiera sentido herido si alguien hubiese creído que a él, Askenasi, le gustaba pasar sus vacaciones en una ciudad costera bulliciosa, llena de música y desnudez vulgares. De todas maneras, ahora tenía dudas de si la forma más racional de pasar unas vacaciones serias era estar una temporada en un lugar donde no quería permanecer ni un minuto. Le habían entrado dudas de si era absolutamente inevitable que las vacaciones fueran «serias». Si —entre tantas cuestiones pendientes de su vida— debería empezar a experimentar precisamente con el tema del «descanso», si valía la pena «rebelarse», y si rebelándose se sentiría «mejor»… «Tal vez ya sea demasiado tarde —pensó—; ya no soy capaz de ponerme nuevos disfraces.» Le resultaba inconcebible salir de su mundo para sumergirse en uno lleno de ruidos y olores, en aquella «otra vida» un poco vulgar en la que pensaba con secreta nostalgia, pero sin mucha esperanza. «No hay solución posible —se dijo con los ojos cerrados, sólo los abría de vez en cuando para ver, somnoliento y flácido, las ocasionales curiosidades que ofrecían las islas por las cuales pasaban—, ser carmelita sería igual de baldío que ser actor de cine. La solución no está entre nuestros objetivos; hay que soportar las cosas, eso es todo. Tal vez al final…» Durante el corto trayecto permaneció en ese estado de duermevela en que el alma renuncia al espíritu crítico; ante sus ojos desfilaron imágenes, escenas del pasado que no guardaban relación alguna con su presente, el recuerdo de situaciones humillantes en que, justa o injustamente, se había encontrado durante su juventud. Y sentía aquel cansancio extraño pero excitante del corredor a pocos metros de la meta: si logra aguantar sólo «un poco más», aguantar a toda costa, al igual que ha aguantado hasta allí, al igual que han resistido sus nervios y sus músculos, sin duda llegará a la meta, pero ojalá haya allí alguien para sujetarlo antes de que se desplome… Aquel viaje, aquel lugar «tranquilo», era el último metro que le quedaba para llegar a término. Le pareció divisar borrosamente la línea final; en breve podría descansar. «Pero no es ninguna solución —pensó con terquedad—. Y lo es aún menos si uno se llama Viktor Henrik Askenasi.»

Pero ¿acaso no podía detenerse antes de llegar a la meta? La idea le pareció emocionante. Recordaba una isla griega de un viaje realizado en su juventud, con higueras polvorientas junto a la carretera, olor a polvo y aceite rancio en la plaza mayor, una pensión incómoda y de dudosa higiene, monumentos de escaso valor, música en la plaza toda la noche… Y claro, también el mar. Mas el mar, la única gran distracción que lo atraía desde su juventud con una extraña intimidad —a él, a una persona nacida en una ciudad, en la llanura—, ya se extendía a su alrededor. El mar, «ese inmenso lugar común —como solía decir— que inundó el mundo cuando a la naturaleza no se le ocurría nada mejor», ya se le había adelantado en ese viaje tan penoso. Pero ¿existía en realidad alguna convención social, alguna obligación que lo forzara —a él y sus pulmones, sus músculos y su voluntad— a aguantar y llegar hasta aquella isla griega que, al fin y al cabo, no era más que una idea peregrina y a la que sólo lo ligaba el pasaje de barco que llevaba en el bolsillo? No respetar el itinerario sería faltar a un compromiso, y la simple idea le pareció tentadora, deliciosa e indecorosa como todo pecado venial, y lo hizo sentir mejor. Qué sobrio y armonioso era ese mundo que veía a lo largo de la costa, el mundo de Diocleciano. Claro, era un mundo sin literatura. La literatura estaba a unas horas de viaje, en aquella isla griega, entre el olor a aceite, en el ágora, donde ahora sonaba la música y donde en su tiempo estuviera Homero; la literatura estaba más adelante, con las higueras, Platón y las Ideas. El mundo que ahora veía se mantenía intacto, feliz, con su abundancia de consonantes y con sus pequeñas poblaciones relucientes escondidas entre las rocas de un mar verde esmeralda, con una tristeza humilde y apenas retórica, con la delicada cortesía de pueblos condenados a la decadencia, lo que se manifestaba en la mirada y los modales de la gente; aquella cortesía conmovedoramente torpe y un poco cohibida que advertía tanto en los pastores de cabras como en las camareras de hotel. Sólo faltaban unas horas para llegar a aquella antigua ciudad que únicamente había visto desde el barco en una ocasión, pero cuyas espléndidas proporciones arquitectónicas, sus sólidos bastiones y su perfil granítico y agresivo se le habían grabado en la memoria. «Puedo perderme la isla griega —pensó aliviado, como un estudiante que arroja a un rincón sus apuntes—. Tal vez esa antigua ciudad, esa fuerte y rebelde ciudad que en su tiempo desafió a Venecia, imitando a la gran rival pero sin rendirse ante ella, no sea el "lugar tranquilo" al que estoy condenado, pero incumplir lo acordado resulta tan atractivo como una aventura. Además, ¿vale la pena ser coherente con mi itinerario si la causa de mis problemas es precisamente este exceso de coherencia innata?» Y como suelen hacer los delincuentes recalcitrantes en situaciones similares, buscó numerosos argumentos a favor y en contra, pronunció un bello alegato a favor del nuevo plan de viaje y ganó el pleito con facilidad: si en vez de ir a la isla griega desembarcara en aquella famosa ciudad, encontraría un mundo nuevo, paisajes desconocidos, una lengua que no entendía y novedades asombrosas, y allí también podría descansar con la misma seriedad o la misma falta de seriedad que en las tierras de Homero. Así pues, sin perder un instante llamó a un oficial para preguntarle a qué hora llegarían; éste le dijo que estarían en el puerto antiguo antes del anochecer. Se levantó de la tumbona con cierto sentimiento de culpa pero de buen humor, bajó animado al camarote y empezó a recoger sus pertenencias. No le quedaba mucho tiempo. Guardó la ropa a toda prisa, sin preocuparse de si lo recogía todo o dejaba algo olvidado. Aquella sensación de falta, aquella inquietud ansiosa, se había convertido en un entusiasmo pleno de expectación: hacía el equipaje con el mismo brío de quien de pronto recuerda lo que tiene que hacer; debía darse prisa para no perder detalle de aquella ciudad desconocida. La euforia de aquella «misión», el fervor de cumplir una obligación no se aliviaría durante los cuatro días que permaneció en la ciudad.

Terminó de hacer las maletas al atardecer, a una escala de distancia del puerto antiguo. Tomó un té, se paseó por cubierta pletórico de buen humor, con aire de persona enérgica y emprendedora, e incluso sacó sus prismáticos para observar con expresión condescendiente el paisaje que había elegido como meta. En el muelle de un pequeño pueblo compuesto de una cincuentena de casas y un campanario, en el que apenas se detuvieron para entregar el correo, subió un nuevo pasajero. En cuanto partieron olvidó la escena; sólo la recordaría con nitidez punzante más adelante, al evocar y recomponer los fragmentos de aquel viaje singular. Serían las seis de la tarde. Él se encontraba sentado en el salón, tratando de descifrar el humor de una revista satírica serbia, más por las viñetas que por las letras cirílicas —siempre tan interesantes—, que no comprendía. Por encima del rumor de las máquinas, desde la costa llegó un ruido seguido de gritos y órdenes. No prestó mucha atención, pero el alboroto fue interrumpido por un súbito silencio. Éste resultó tan repentino en medio del bullicio que semejó una voz de alarma. Se puso en pie y se acercó a la ventanilla. Ante el trasfondo medieval de aquel pueblo de calles estrechas y casas de una planta con tres ventanas, se distinguía una muchedumbre variopinta: adolescentes, soldados, empleados del puerto, chicas jóvenes mal vestidas y mujeres con bebés en brazos; todos apiñados, sobresaltados y asustados. Los soldados habían adoptado una posición defensiva y se agazapaban en una esquina de la plaza que había junto al muelle. Impresionado, Askenasi levantó los prismáticos y observó la extraña escena con alborozo, casi con el placer de un entendido en arte. No faltaba nada: la sombra del monte vertida sobre la ciudad, el hacinamiento en perspectiva de las casas y la gente, su agolpamiento ante algún peligro latente que por un instante había cobrado una forma más concreta, y la reverberación crepuscular que, con su luz anaranjada, volvía más nítidos los contornos y los movimientos del cuadro. El aire límpido y transparente permitía ver, tras unas rejas, la campana inmóvil del campanario, y en los rostros y las actitudes de aquella muchedumbre inquieta y atemorizada se reflejaba un terror supersticioso. El espectáculo lo sobrecogió. Después, algunas figuras se separaron del grupo y, siempre en aquel silencio sepulcral, vio cómo unos individuos uniformados se dirigían presurosos hacia una de las callejuelas que desembocaban en la plaza.

La escena, en su dinamismo bien proporcionado, más que una algarada callejera parecía un espectáculo teatral al aire libre. «Una sublevación», pensó instintivamente y, con la arbitrariedad del espectador y sin prestar atención a la acción, o sea a los protagonistas que corrían hacia la callejuela, enfocó los prismáticos en el gentío para observar rostros y gestos; le complació más que nada una anciana tocada con un pañuelo, que reía satisfecha y se frotaba las manos con expectación, con la agradecida actitud de la gente miserable, capaz de alegrarse ante la menor novedad. Pasaron varios minutos sin que se pudiera entender qué hechizo tenía cautivada a aquella gente. «Una sublevación», se repitió Askenasi con la indiferencia del espectador sentado en su palco, y dirigió lentamente la mirada hacia la callejuela, donde por fin le fue revelada la causa del alboroto. En efecto, lo que veía era una sublevación, sus nervios e instintos no lo habían engañado; pero ¡qué rebelión más extraña e inusual! No se veía ningún profeta, ni líder popular, bajando desde las cimas rocosas para recordar a los pobladores su miserable condición y sus eternas obligaciones; el único rebelde —porque ya lo veía— se había detenido al final de la callejuela, vestía extraños ropajes y tenía los brazos abiertos, como para bendecir o maldecir a la gente. Era un hombre bajo y parecía llevar una especie de uniforme, un uniforme militar o un extraño hábito gris; movía sus largos brazos como si fueran alas. Enseguida la gente lo rodeó y la figura quedó oculta a los prismáticos de Askenasi. La muchedumbre

48

se disolvió lentamente tras los pasos de los más valientes y la plaza se animó de improviso; en el silencio sobrecogedor se oyó claramente el llanto de un niño. La tensión y la inquietud habían llegado hasta el barco; no sólo los pasajeros, sino también los tripulantes y oficiales se asomaron a la barandilla como si la disciplina se hubiera relajado por un momento. A una mujer pálida, que se había desvanecido ante una escena de la que poco podía entender, le llevaron un vaso de agua, y los turistas acosaron con preguntas al capitán, que se encontraba en la cubierta entre sus oficiales, serio y reservado, contemplando el espectáculo con los brazos cruzados; por el momento no respondió a las preguntas.

Dos gendarmes llevaban al rebelde hacia el barco y la muchedumbre les abría paso respetuosamente; muchos se inclinaban y santiguaban. Ahora se veía acercarse a trompicones a aquel hombre, encorvado y cabizbajo, y por fin pudo distinguirse su terrible uniforme: una camisa de fuerza cuyas largas mangas los gendarmes sujetaban mientras avanzaban a su lado lentamente. Era un enfermo mental, una persona mayor asustada por su propia osadía, y querían trasladarlo desde el asilo local al manicomio de Dubrovnik. El enfermo, al que los gendarmes habían pretendido embarcar con discreción por una entrada de mercancías y carga, donde ya lo esperaba un camarote especial, se había «rebelado» en el último instante, escapando de sus guardianes, y, tras liberar las mangas de la camisa de fuerza flojamente atadas, había echado a correr. Los vecinos de la ciudad, que a falta de otra distracción habían salido a la calle para presenciar el singular espectáculo que ofrecía el traslado de un loco enfundado en una camisa de fuerza, reaccionaron ante su huida con temor, casi con un miedo atávico. Tal vez fue el profundo silencio que en los primeros instantes rodeó al fugitivo, o tal vez una lucidez momentánea, confusa y parcial, lo que llevó al desgraciado a detenerse tras una corta carrera, levantar los brazos y dejar que lo alcanzaran sus perseguidores sin ofrecer resistencia.

Después de prenderlo, los gendarmes lo llevaban con celo y precaución, así como con una mezcla de aborrecimiento y horror en el rostro, aunque con el respeto e indulgencia que merecen los locos; apenas le sujetaban las mangas de la camisa de fuerza con los dedos. El enfermo avanzaba sumisa y voluntariamente hacia el barco, donde los guardianes encargados de su custodia lo esperaban junto a la escotilla de hierro de la cubierta inferior. Caminaba con lentitud, arrastrando los pies, con movimientos similares a los de un animal agotado; en la cabeza rapada llevaba una venda rosada de un palmo de ancho. Al llegar al barco, se detuvo y miró alrededor; más que a la gente —Askenasi recordaría su mirada durante mucho tiempo—, lo hizo de abajo arriba, con la espalda encorvada, sin erguirse, como atenazado por la fuerza de la gravedad, y luego retorció la cabeza en un extraño movimiento hacia el cielo, en el que ya sólo se veía el reflejo herrumbroso del sol poniente. Askenasi, que en lo alto del puente se encontraba casi sobre el recién llegado, captó y devolvió esa mirada que se elevaba, literalmente, desde las profundidades, no sólo desde el muelle sino desde el abismo de la miseria humana, y ascendía con un fulgor obstinado hacia la cubierta, hacia Askenasi y el cielo. En aquellos ojos refulgían los últimos vestigios de la luz del alma, casi procedentes de una conciencia ya exhausta, que había agotado todas sus reservas de energía. Como quien ya no busca el sentido o el sinsentido de la vida —su mirada no ofrecía respuesta a ello—, miraron el mundo una vez más, por última vez, con la noble curiosidad de un bebé o un animal inteligente, sin reproches ni quejas. Aquella curiosidad —más tarde no sabría definir de otra manera el sentido de aquella mirada—, aquella actitud levemente reprobatoria del hombre, aquella mirada de «vamos, dime algo», aquel interés desorientado que lanzaban sus ojos, impactaron profundamente a Askenasi, que no perdió la oportunidad de contestar a su manera: dirigiendo su mirada a los destellos de aquellos ojos, miró al hombre suplicante con cortesía y como pidiendo perdón, y alzó los hombros en un gesto casi imperceptible. Como si se tratara de una pregunta personal que le formularan en medio del caos callejero de una ciudad, no podía negarse a responder a la súplica que le llegaba de un caos mucho más intolerable y complejo; y apoyando los codos en la barandilla con pusilánime cautela para que «los demás» (como llamaba a sus compañeros de viaje) no lo notaran, extendió una mano e indicó con un gesto cómplice y tranquilizador que no había que dar excesiva importancia al asunto, que pronto se arreglarían las cosas.

Antes de que el loco se decidiera a subir por la pasarela que, como un diminuto Puente de los Suspiros, constituía para él el último tramo entre el mundo y la prisión, la gente que hasta entonces lo rodeaba con un asombro casi devoto, de pronto cambió de actitud y se enfureció, le gritó injurias y poco después empezaron a arrojarle inmundicias, nabos podridos, cáscaras de limón y objetos duros, quizá conchas o guijarros. A punto de perder de vista para siempre al loco, vertieron sobre él la furia que reservaban a los desdichados y excomulgados, se reunieron a su alrededor riéndose e insultándolo. Los dos gendarmes, tras percatarse de lo que pretendía la gente, se dieron prisa en empujar al preso hacia el interior del barco. Lo que vino a continuación Askenasi sólo pudo observarlo indirectamente, porque en ese momento el enfermo desapareció de su visión, y tampoco volvió a verlo en Dubrovnik, al bajar del barco, por mucho que lo buscara. Al parecer, las autoridades de la ciudad no se hicieron cargo de su incómodo huésped hasta que los pasajeros y veraneantes que esperaban en la costa se hubieron dispersado. Según se enteraría Askenasi más tarde, apenas el enfermo mental puso los pies en la cubierta inferior, los tripulantes bloquearon con una reja de hierro la escotilla del flanco; la gente se acercó más y, pudiendo ver todavía por unos minutos a aquel peligroso individuo que había transgredido las leyes humanas y divinas, manifestó una malévola satisfacción por su desgracia, unida al odio y la repugnancia que les provocaba su visión, y en su lenguaje incomprensible le dedicaron toda clase de oprobios; las maldiciones se mezclaron con una risa aguda, la gente sentía una especie de euforia y —amparada por su impunidad— maldecía al enfermo, al excomulgado, al minusválido, siguiendo unas tradiciones medievales conservadas en sus instintos por el hermetismo de la historia, con la furia y la mala conciencia de los «sanos». Askenasi se enteraría más adelante de que el enfermo mental, que en un principio recibió las maldiciones de sus conciudadanos con indiferencia, en el último instante, antes de que lo arrastraran al interior del barco, se zafó de los marineros, corrió hasta la reja de hierro que lo separaba del mundo exterior, se pegó a ella, sacó la lengua y agitando las largas mangas de la camisa de fuerza hizo muecas y lanzó unas risotadas hacia sus enemigos, hasta que volvieron a aferrarlo para llevárselo al interior. Naturalmente, ante esta nueva ofensa, la gente congregada en la plaza reaccionó con una creciente indignación. Entonces el capitán dio orden de zarpar.

«Excelente», pensó Askenasi, y volvió a apoyarse en la barandilla de cubierta, protegido por la seguridad del barco que se apartaba del muelle. Observó el espectáculo con comprensión e imparcialidad, a la muchedumbre que ya empezaba a dispersarse entre las casas y las rocas. «Por fin, un compañero de viaje —pensó—. Nunca se está solo en el mundo.» En cubierta se habían formado grupos de pasajeros que comentaban alborotados aquel episodio inesperado y sorprendente. La circunstancia de que a bordo viajara un enfermo mental, al parecer concedía un encanto perverso al viaje. «Ha perpetrado una matanza», oyó Askenasi al aguzar el oído, porque algunos, los más diligentes, ya se habían encargado de averiguarlo. Decían que el «rebelde», como se empeñaba Askenasi en apodarlo afectuosamente, era un guardabosque y vinicultor local que, en un arrebato de demencia, supuestamente había asesinado a toda su familia; pero en realidad nadie sabía nada con seguridad. Cosas así pasan con mayor frecuencia de lo que uno cree, decían algunos; los periódicos no siempre informan de ello. Askenasi observaba con interés a los cotillas; a veces, con una leve sonrisa irónica, lanzaba una mirada de soslayo a los que se escandalizaban ante anomalías normales de la vida como son los locos o los asesinos. El barco, con sus numerosos pasajeros «sanos» y un único «enfermo», viró adentrándose en la amplia bahía, y en la lejanía, envueltas en el algodonoso gris del crepúsculo, aparecieron las primeras tenues luces de la preciosa joya engastada en la costa rocosa que es Dubrovnik. Askenasi había permanecido inmóvil durante la última parte del trayecto, en el mismo sitio donde había captado la curiosa mirada de aquel inesperado compañero de viaje; navegaban entre islotes, a medida que el barco se acercaba a la costa la cadena montañosa mostraba sus imponentes dimensiones, y el mar tenía una superficie tan lisa como el níquel, dura, gris clara y reluciente. «El mundo —pensó Askenasi con aire filosófico y, con precaución para que los otros no lo notaran, frunció sus delgados labios en un mohín despectivo—. Una experiencia distinta.» Cruzó los brazos. Buscaba una definición precisa, llevaba días buscándola; aquella incomprensible sensación de que algo le faltaba no había desaparecido, sólo se había mitigado, al igual que el dolor se alivia temporalmente al alcanzar cierto grado de tormento físico. Tal vez si lograba dar con esa definición, podría encontrar la explicación a aquella sensación de falta cuyo amargo regusto aún sentía en la boca; tenía el término exacto «en la punta de la lengua», se dijo con ironía. «Paisajes, mundo, muchedumbre, personas, son una experiencia distinta —pensó apenado. Miraba el paisaje, el mundo, con un ligero desprecio—. Todo esto no es más que una *consecuencia*», se le ocurrió de improviso, y esta palabra, buscada desde hacía varios días e incluso mucho antes, lo llenó de un asombro feliz, acuciante, casi voluptuoso. «Platón», pensó agradecido y conmovido. Y como el que despierta de un estado inconsciente y vuelve a comprender la relación entre las cosas, la situación en que renace al mundo, hilvanó con facilidad y rapidez al hilo de aquella palabra todo lo brillante, todo lo vulgar y todo lo ordenado que veía: el paisaje, las luces de la ciudad, el barco con sus pasajeros, «las consecuencias», o sea, las consecuencias simples, casi banales, de una Idea bondadosa, armoniosa y creadora. «Pero también existe una Idea destructiva», pensó a continuación, estremeciéndose. Y la «consecuencia» de ésta estaba abajo en la bodega, entre cajas y otras «consecuencias», acurrucada, maniatada con una camisa de fuerza —como si fuese posible constreñir una Idea en una camisa de fuerza—. Una Idea destructiva, no menos sensata o insensata que la armoniosa y creadora... «Existe otra aventura», pensó entonces; y fue como si todo lo que había aprendido, sentido, pensado o leído con anterioridad se difuminara bajo el efecto de ese descubrimiento. Miró el paisaje, y después volvió lentamente la cabeza hacia los pasajeros que se preparaban para desembarcar y se paseaban por cubierta con aire pretencioso; miró con lástima todo aquello, como quien sólo tolera los límites insulsos de la realidad y tiene ya preparado el equipaje para emprender un viaje más comprometido en el cual, tras esas numerosas y crudas degustaciones, podrá probar por fin lo verdadero, aquello de lo que todo procede y se destila. Se estremeció y escondió el rostro entre las manos. Se quedó un buen rato así.

La ciudad ejerció en él un efecto tranquilizador, con su masa sólida y compacta, como si se esforzara en contener alguna cosa tras sus murallas y bastiones, tras sus diques naturales y artificiales —la vida misma, sin duda—, protegiéndola del mundo exterior. Las calles estrechas, las callejuelas de apenas un metro de ancho, donde el transeúnte podía tocar las hileras de casas paralelas con sólo extender los brazos, donde ninguna ventana curioseaba hacia el exterior y todo estaba vuelto hacia el interior, hacia los paisajes más íntimos, más recónditos, más humanos y vibrantes de la vida, todo aquello le parecía un marco perfecto para su estado de ánimo. «Pero aun así no es más que un marco —refrenó su propia esperanza—, y el tema lo rebasa. Sin embargo, ¿existe en alguna parte un marco de madera o de piedra capaz de contener la masa del tema sin ceder ante la tremenda fuerza de éste?» Pensó en las miniaturas alemanas, donde bajo el cristal y en una superficie tan pequeña como la palma de la mano caben cómodamente mil personas, amén de la ciudad y el cementerio que aparecen al fondo, pero donde no cabe ningún rostro de verdad con sus rasgos y secretos… Ésa era la impresión que le daba aquella ciudad: parecía un marco estrecho y corto, y entre sus reducidas dimensiones sólo podía caber si se encorvaba, si se encogía. Su enigmático idioma monocorde ejercía un extraño efecto; él se dedicaba a las lenguas habladas en otras orillas, al griego y al latín, o sea, a la literatura; pero allí, a pocas horas de distancia de las islas de la literatura, el alma parecía haberse atascado en la infancia de una lengua primitiva, era enclenque y parecía raquítica e incapaz de crecer… Lo que en aquel lugar era forma —los edificios, la elegante simetría de las pequeñas plazas, la concepción de los baluartes defensivos— había sido importado de otros lugares; y lo que los hombres habían contribuido a crear permanecía ajeno a aquella forma que se habían puesto a modo de coraza en el extranjero, desgajados de la familia. Askenasi sentía lástima por ellos, pero más que nada indiferencia; se movía de aquí para allá, entre las atractivas formas —pero en realidad prestadas y asimiladas—, con la superioridad de un hombre versado en literatura.

La noche posterior a su llegada despertó sobresaltado; tras un sueño profundo, yacía en la cama agotado y cubierto de un sudor frío; sería la medianoche. Aún medio dormido, se acercó a la ventana tambaleándose, como si hubiera oído la alarma de un barco o una casa en llamas; se asomó y escrutó los alrededores, los sonidos en la oscuridad de aquella noche de eclipse lunar, los rumores palpitantes del mar y la ciudad que le llegaban de lugares invisibles; rumores que carecían de un sentido que pudiera traducirse al griego o al latín. «Hasta aquí he llegado —pensó—. ¿Y ahora qué?» Le sorprendió su desconcierto. El «sano reposo en un lugar tranquilo» estaba cobrando una extraña forma. Observó la habitación en sombras, analizó sus dimensiones como un animal caído en una trampa. Se quitó el pijama y se sentó a la mesa desnudo, encendió la lámpara, cogió al azar un libro y empezó a leer un relato de viajes, una descripción novelesca algo empalagosa sobre una expedición por el Sáhara. El protagonista, un oficial de la aviación francesa, hablaba de la extraña e incómoda sensación que lo había invadido en medio del desierto cuando, tras un aterrizaje forzoso, comprobó que el depósito del agua se había agrietado y su precioso contenido se había perdido... «No ha de ser nada agradable —pensó distraído al llegar a ese punto del relato, y sacudió con un gesto de rechazo aquel libro de tono ampulosamente épico—. Debe de ser terrible encontrarse en medio del Sáhara sin una gota de agua... En casos así, los aborígenes australianos beben sangre», recordó. Reflexionaba medio dormido, vagando entre las imágenes de su fantasía, casi cabeceando. Se detuvo al llegar a una palabra y estudió su forma, fijándose en el contorno de las letras. «*Szomjúság*, sed —pensó, y como la palabra le gustó, la tradujo al alemán, al inglés y al francés, comparando sus diferencias fonéticas—. En húngaro es como mejor suena —concluyó—, con esa *ú* larga y desesperada en medio...» Sintiendo la garganta seca, fue al lavabo, echó agua y unas gotas de colutorio en el vaso y se enjuagó la boca aparatosamente. Luego se acercó a la ventana. La sed seca, aquel sabor desagradable, no le desapareció de la boca. «Hasta aquí he llegado —se repitió—. El viaje nos enseña humildad. Uno también puede ir al Sáhara.» Encendió un cigarrillo y se tranquilizó al instante. «No tiene sentido seguir —decidió—. He cometido un error. Tengo que volver a empezar.» Regresó a la cama, miró la tenue claridad que se insinuaba vagamente en la oscuridad, la noche que se vislumbraba tras el recuadro de la ventana, y como si hablara con otra persona, pensó en frases logradas y sobrias. «Ya no debo responder de nada ante nadie. He hecho lo que he podido. He cumplido mis obligaciones. Sin duda, soy profundamente católico.» Fue la primera vez que se le ocurrió aquello y se sorprendió. «He cumplido todas mis obligaciones. Al menos he dado al César lo que es del César, sin reserva. He emprendido este viaje para descansar. Ahora ya no se trata de cuál es mi obligación, ya sólo queda salvar lo que se pueda.» Permaneció tumbado con los ojos abiertos. Luego, como quien dicta su confesión en una comisaría, miró la oscuridad con los ojos bien abiertos y pensó con decisión: «Está más que claro que, pese a mis mejores intenciones, no puedo vivir sin ella. Es una lástima.» Dio una última calada al cigarrillo, lo apagó concienzudamente sobre el mármol de la mesita de noche, se volvió hacia la pared y se durmió al instante.

Por la mañana despertó temprano, se sentó a la mesa y escribió tres cartas. La primera, a la bailarina; una carta lacónica y con tono casi de cumplido, escrita en la jerga concisa de la intimidad, sin inútiles giros semánticos, más bien con estilo de correspondencia comercial; le hacía saber que su presagio se había cumplido, que había alcanzado su meta, y que él, por su parte, había renunciado a toda resistencia; había tomado plena conciencia de que la obligación que lo ataba (utilizó esta expresión formal para definir su relación conyugal) era ajena a su voluntad, una simple fatalidad, y que por tanto estaba dispuesto a obrar en consecuencia; que solicitaría enseguida el divorcio y que su mayor deseo era que ella se convirtiera en su mujer. Sin duda era una carta inusual; al leerla le sorprendió constatar que carecía de ternura. La segunda, mucho más cálida y amable, iba dirigida a su esposa; le exponía su decisión como si se tratara de una desgracia común que afectaba a los tres —también a su hija—, y añadía que las explicaciones sobraban, ya que ella conocía las razones mejor que nadie. Escribió la tercera, la más breve, a un amigo, un joven abogado, para pedirle que se ocupara de los trámites del divorcio con la mayor celeridad pero respetando al máximo los intereses de su esposa. Franqueó las cartas por correo aéreo y pasó los tres días siguientes presa de la curiosidad y la expectación. En la mañana del cuarto día llamó a París. Le respondió la doncella y en los seis minutos que duró la conferencia se enteró de que hacía ya dos semanas que Eliz había salido de viaje con un empresario español, cuyo nombre Askenasi recordaba vagamente. Que habían viajado a São Paulo, Brasil; la doncella estaba haciendo su equipaje para viajar a su encuentro en cuanto le avisaran por telegrama. No, madame no le había encomendado ninguna carta ni ningún mensaje. «¿Qué desea, monsieur?... No —insistió—, madame no me dejó dicho nada.»

Había conocido a la bailarina un año antes, en circunstancias «poco decorosas», como se aseguraría a sí mismo más adelante; naturalmente, las circunstancias sólo resultaban «indecorosas» para una persona tan notable y distinguida como era Askenasi en el momento de arrostrar las consecuencias de aquel encuentro. La contrariedad que mostraron ante la «catástrofe» su familia y más tarde también sus colegas y amigos, puso de relieve el verdadero prestigio de su personalidad, y más adelante le sorprendió no haber pecado de exceso de arrogancia, ya que, sumando argumentos en pro y en contra de aquella relación, bien podía haberse creído un faraón egipcio, para quien resultara indigno establecer lazos conyugales con cualquier mujer que no fuera su propia hermana, de la misma sangre real. Habría podido creer que la sociedad se había puesto en acción para salvar a Viktor Askenasi, ese singular y excepcional espécimen del género humano, que olvidándose de las obligaciones asumidas ante el mundo entero había sucumbido a una pasión infame y repulsiva; y eso que en un principio ni él mismo imaginaba que aquel encuentro fuera a tener una importancia tan decisiva. De todo aquello sólo sacaba en claro que a los cuarenta y siete años de edad, tras una vida amorosa poco placentera y una existencia disciplinada y dedicada al trabajo, había encontrado a una mujer que significaba para él mucho más que cualquier otra que hubiera conocido, que lo había rejuvenecido físicamente y que en su compañía a veces llegaba incluso a sentirse feliz. Al simple hecho de que un hombre en la crisis de la mediana edad sintiera tal pasión física por una mujer joven, accidente harto frecuente a lo largo de la historia, ocurrido también a caballeros tan distinguidos como Askenasi, su entorno le atribuía la mayor gravedad.

Durante algún tiempo, en el estrecho mundo en que vivía, su caso llegó a gozar de tanta popularidad que no le hubiera sorprendido encontrar alguna noticia al respecto en los titulares de los periódicos; no tardó mucho en comprender que el interés entusiasta que manifestaba la sociedad por ese asunto privado —más triste y penoso que apasionado y lujurioso, como suelen ser, también en su caso, las relaciones carnales ilícitas— no se debía tanto a su persona como a un principio general que la sociedad civilizada se esforzaba en defender recurriendo a todas sus medidas de control y disciplina.

Poco a poco comprendió que su entorno, la familia, los parientes y amigos, y también las ilustres figuras a las que lo vinculaba su profesión y de las que nunca había supuesto que, aparte de la filología y la lingüística comparada, pudieran interesarse por asuntos amorosos, en realidad no lo defendían a él, a Viktor Henrik Askenasi, de cuarenta y siete años de edad, ni a su esposa, ni a su felicidad conyugal, ni al «sacramento del matrimonio», sino a un convenio tácito aceptado y asumido por todos, que no debía violarse, mucho menos por aquellos que pertenecían a la estirpe de los fundadores y custodios de la cultura. Su asombro aumentó y tal vez culminó cuando un día —entonces su vida estaba ya dominada por el caos: se había mudado de casa, convivía con la bailarina y, lo que más lo sorprendía, vivía sin remordimientos en aquel estado «indecoroso», seguía dando clases, trabajaba y se sentía a gusto— fue a verlo el presidente de la asociación científica de la que Askenasi era un miembro menor pero de reconocido prestigio. Aquel viejo de carácter notablemente esquivo, arrogante e inaccesible, hizo la visita siguiendo las pautas más estrictas de la etiqueta burguesa. Ataviado con levita, nada más llegar mandó que el criado del humilde hotel subiera su tarjeta a la habitación donde hacía meses convivían Askenasi y la bailarina. Y cuando entró por la puerta sostenía el sombrero en sus manos enguantadas con tanta afectación y cautela como si cruzara el umbral de una cueva de ladrones o un burdel, como si fuera a dar su saludo póstumo a un fallecido, a un noble amigo fulminado por la muerte en circunstancias «indecorosas». A Askenasi, en un primer momento, aquella visita lo sorprendió, más tarde lo divirtió, luego se indignó, y por fin lo hizo recapacitar, conmovido. El anciano, orgullo de las reuniones oficiales de la asociación científica, inmensamente respetado en los círculos eruditos, con fama de ser un hombre circunspecto y de confianza pero estrecho de miras, se quedó como bloqueado en el umbral de aquella «casa de citas», con los ojos entornados, y no aceptó sentarse en la butaca que le ofreció Askenasi. Empezó a hablar con voz temblorosa por el nerviosismo. Askenasi, que daba por seguro que el venerado gentilhombre no había salido de su aislamiento patriarcal por propia voluntad, sino que habría sido enviado por una o varias personas —un complot difícil de definir, el «pequeño comité» que suele constituirse en estos casos—, lo escuchó con paciencia, y mientras asimilaba aquel discurso largo, balbuciente, pronunciado en voz ahogada y sin duda aprendido de memoria, sintió un mareo como si estuviera soñando o, más bien, como si acabara de despertar de un largo y agitado sueño a una realidad que hasta entonces ignoraba. Debía reconocer que no existen los «asuntos privados» —no sólo para caballeros tan ilustres como Askenasi, sino que, en general, la sociedad no tolera «asuntos privados» si éstos presentan signos de rebelión—. El proceder de Askenasi —a saber, el hecho de haber abandonado a su esposa, a quien ya no amaba, y de convivir en condiciones «indecorosas» con una mujer a quien amaba o al menos creía amar— era en realidad una tentativa de subvertir el orden social y estatal; aunque el anciano erudito no lo dijo explícitamente, dejó entender que en tiempos de grave crisis, por ejemplo durante una guerra, ese tipo de comportamiento se castigaba con la pena de muerte. La argamasa que mantiene unida a la sociedad es sumamente delicada y sensible a todo efecto externo; si unas manos sucias debilitan su cohesión, toda la estructura puede desmoronarse fácilmente.

—Todo asunto privado es importante —dijo el anciano con la voz rota por la emoción—, y especialmente los asuntos privados de aquellas personas que por nacimiento o por la excelencia de sus dotes espirituales pertenecen a la élite de la humanidad.

Al oír tales palabras, Askenasi sintió unas embarazosas ganas de reír, pero con el pretexto de encender un cigarrillo le dio la espalda y evitó así un escándalo aún mayor. Hacia el final de la entrevista, el anciano se despojó de su toga de juez y con sincera emoción suplicó que su «ilustre amigo no echara a perder su vida», que volviera al trabajo y al hogar familiar, porque un hombre noble tiene la obligación de dominar sus pasiones, y añadió:

—Nosotros, gente ilustrada, a veces afrontamos el misterio de los sacramentos con las dudas que nos dicta nuestra razón pecadora. Pero san Pablo dice: «El matrimonio es un gran misterio.» Reflexione sobre ello.

Lo dijo con el tono de quien está dispuesto a hacer concesiones y le tendió la mano. La mirada de aquel hombre próximo a la muerte era tan triste y desamparada que Askenasi sintió una pena profunda por él. Lo acompañó hasta la escalera, volvió a la habitación pensativo y entre los pocos libros que se había llevado consigo buscó la Biblia y la abrió por la epístola de san Pablo. «El matrimonio es un gran misterio», leyó con aire pensativo. Lo conmovió la fuerza de la expresión. «San Pablo era un notable escritor —pensó—. No pudo haberlo dicho con mayor sencillez.» Con el Libro de los Libros en la mano, fue al cuatro de baño, donde había ocultado a la bailarina cuando se le anunció la ilustre visita, porque quería evitar que la presencia de la «mujer pecaminosa» hiriera el pudor del anciano. Encontró a Eliz sentada en el borde de la bañera, semidesnuda y cabizbaja, y se asombró porque era la primera vez que la veía llorar.

—Tiene razón —dijo entre lágrimas refiriéndose a las palabras del anciano; luego abrió el grifo e inclinada sobre el chorro de agua pronunció con un suspiro infantil, en tono de remordimiento—: Es un misterio.

Askenasi comprendió que la «pecadora» aceptaba y reconocía algo que a juicio de las mujeres era una defensa legítima por parte de la sociedad. Pero la bailarina no se entretuvo con aquella afirmación; alzó los hombros y se sumergió en el agua de la bañera.

Aquella visita ocupó sus pensamientos durante días. Al final decidió indagar metódicamente el misterio en cuestión. De ninguna manera hubiera renunciado a la metodología, tanto se había acostumbrado a ella. Pero los métodos no lo sacaron de dudas; en cambio, el azar y la arbitrariedad le revelaron mucho más. Por «indagar» se refería al razonamiento, a lecturas y experiencias directas, siempre que fuera posible. Hasta los cuarenta y siete años de edad no había tenido tiempo para ocuparse de dichas cuestiones. Lo que experimentaba ahora le chocaba como si de un día para otro hubiera llegado a un nuevo continente, con un clima distinto, con gente que hablaba un idioma desconocido, vestía de manera extraña y veneraba fuerzas sobrenaturales en enigmáticas ceremonias tribales. Ante todo, llegó a conocer la curiosa organización de la sociedad femenina: aquella misteriosa agencia de noticias mediante la cual de forma invisible, sin palabras inteligibles, más bien con sonidos y señales —como los salvajes que con señales imperceptibles y sordos golpes de tambor se advierten unos a otros de los peligros que los acechan—, permanecen en constante estado de alerta, se identifican con causas ajenas y anotan cada síntoma con una minuciosidad sorprendente. Se dio cuenta de que las mujeres controlaban celosamente cada uno de sus pasos, incluso sus actos y decisiones más insignificantes, y que también lo hacían otras mujeres que no tenían nada que ver, ni el menor interés personal en ese control; lo hacían más bien de forma instintiva y desinteresada. Poco a poco comprendió que el cotilleo era algo más que una de las inclinaciones genéricas y vulgares del ser humano, originada en la recíproca animosidad, sino también uno de los instrumentos más eficaces entre las medidas de seguridad de la sociedad, y aunque no fuera un instrumento muy loable, era tan necesario como para la policía las confidencias de los soplones y delatores. La sociedad, más que nada la sociedad femenina, a la que poco a poco concebía como un estado dentro del estado, se defendía con todos los instrumentos a su alcance de la perturbación y la rebelión contra el orden establecido; tras un concienzudo análisis, su sentido de la justicia lo llevó a reconocer aquella defensa como legítima.

La red de información confidencial que tejían las mujeres alrededor del hombre rebelde era una curiosa y delicada forma de defender la propiedad privada; tras las pequeñas pero tenaces vilezas, Askenasi presentía la existencia de unas fuerzas potentes, y se admiró de la magnitud de los ataques lanzados contra «asuntos privados» suyos aparentemente nimios e insignificantes —a veces, le daba la sensación de que se trataba de una trama internacional, consistente en abultadas cartas repletas de consejos bienintencionados, y es que llegó incluso a recibirlas desde el extranjero—. Sin duda, tanto en el caso de Askenasi como en otros, era más que un simple asunto privado, que los sentimientos de Fulanito y Menganita se hubiesen enfriado o transformado: alrededor de cada asunto privado había una extensa trama de intereses, y para las mujeres siempre se trataba del conjunto, del acuerdo, del convenio que habían forjado entre ellas dentro del mundo masculino y según el cual, pensó, constituía pecado mortal y traición revelar a un hombre sus puntos más secretos. Durante un tiempo ese descubrimiento lo divirtió, pero más tarde, al constatar que era imposible escapar al control —ni yéndose al extranjero, ni encerrándose entre cuatro paredes—, empezó a sentir desasosiego. Tardó bastante en darse cuenta de que no había forma de escapar a la red de información de las mujeres, y fue entonces cuando se rindió.

Los hombres que encontró en aquel período tenían también un comportamiento inusual; consciente o inconscientemente, se ponían casi todos al servicio de las mujeres y, si no asumían papeles más viles, siempre estaban dispuestos a despertarle dudas sobre la legitimidad moral de su rebelión, al recalcarle los argumentos canonizados de la ética masculina. Las mujeres preferían confiar los discursos morales a los hombres; ellas, más modestas, se conformaban con denigrar el objeto de la rebeldía. Durante un tiempo, a Askenasi llegó a divertirle la crítica obstinada, detallada y maliciosa con que las mujeres pretendían devaluar a ojos del rebelde el valor y el previsible resultado de su empresa. Sin embargo, poco después notó que incluso estos rudos métodos surtían efecto y que no era capaz de defenderse contra ellos. Mientras los hombres, por encargo de las mujeres, preferían resaltar lo «indecoroso» de su conducta —en un tono similar al que se usa para reprender a alguien por irresponsable, por no regatear y pagar más de la cuenta al adquirir una mercancía—, las mujeres, en principio, consideraban natural que un hombre se sacrificara por algo, pero no alcanzaban a entender por qué Askenasi lo hacía precisamente por «aquella mujer»… Este tortuoso criterio de evaluación le chocó. Se preguntaba qué mujer tenía que haber elegido para que las demás le perdonaran su rebelión; ¿tal vez habrían perdonado su desliz si hubiera elegido a una morena en vez de a una rubia, o a una española en vez de a una rusa, o a una que supiera bordar o que fuera buena ama de casa o que tocara bien el piano? No le parecía probable. Tenía que resignarse a que no había perdón para su conducta; a ojos de las mujeres —que siempre se ponían de parte de la víctima—, no había mujer suficientemente bella, buena, sacrificada, noble, sensual, divertida o amorosa, no había ningún argumento que justificara la infidelidad del varón. No le quedaba otra salida que resignarse a esta filosofía cuyo rigor, implacable e inapelable, le producía un asombro profundamente respetuoso.

Nadie comprendía por qué había encontrado la felicidad —aunque fuera por un tiempo breve— con «precisamente aquella mujer», y las mujeres que se alineaban en la orilla opuesta se encargaron —con delicadeza y de un modo apenas perceptible— de engendrar en él dudas sobre las virtudes del objeto de su pasión. Elogiaban la gracia y la belleza de la mujer elegida, y sólo incidentalmente lamentaban que ya tuviera treinta años, edad peligrosa para una bailarina; solían plantear argumentos convincentes con respecto a su edad: como bailarina la ponía al borde la decadencia, pero al mismo tiempo seguía siendo demasiado joven, y además, «¿qué pasará dentro de diez años?». Comentaban que la rival seguía meneando las caderas con gracia «pese a estar algo llenita», y reconocían que «a fin de cuentas» vestía bastante bien, lo que igual podía significar que aunque no tenía ni idea de cómo vestirse —mira por dónde—, los niños no se echaban a reír al verla por la calle. Tuvo que llegar a la conclusión de que para «asuntos privados» no existían grandes ciudades; la metrópoli que había elegido por hogar aparentemente no se ocupaba de otra cosa que del control ávido, perpetuo y provinciano de cientos de miles de asuntos privados; en realidad, cada calle de la enorme ciudad era una pequeña aldea, donde la gente se fijaba en pormenores tan insignificantes como si alguien se ponía medias limpias por la mañana.

Empezó a sentirse mareado. Acababa de darse cuenta de un detalle sobre los hombres; era la primera vez en su vida que tenía una prueba tangible sobre la miseria moral en que se debatían los hombres a lo largo de su existencia. La mayoría de ellos lo observaba con una mezcla de admiración y repulsa, como a un loco que se comporta heroicamente porque no sabe lo que hace. Sus amigos le advertían con insinuaciones escuetas y siniestras que pensara el asunto y tuviera cuidado —como si hubiera metido en su casa una fiera peligrosa, un león o una hiena, y lo mejor fuera enjaularla y regalarla a un zoo antes de que fuese demasiado tarde—. Unos le recomendaban hacer un viaje; otros, ceñudos, le hacían insinuaciones sobre el mágico poder del dinero para solucionar cualquier problema. Todos coincidían en que debía «obtener el máximo placer» de aquella relación; pero tomaron a mal que Askenasi, a todas luces, entendiera por «placer» algo distinto de lo que se solía y se debía entender; él procedía abiertamente y asumía todas las consecuencias, lo que tal vez era caballeroso y elegante, pero iba contra las convenciones, porque, según éstas, un hombre casado debía verse con una bailarina en secreto y dos veces a la semana, de cuatro a seis de la tarde, y entregarle una discreta suma tras cada cita. Los hombres, por lo general, comprendían y aprobaban la pasión, pero les parecía excesivo el «precio» que pagaba por ella. (Durante mucho tiempo, Askenasi ni siquiera notó que estuviera pagando un precio; más bien sentía que era él quien inesperadamente recibía valiosos regalos.) De todas formas, le advirtieron que se anduviera con cuidado, que estuviera siempre alerta y captara la menor señal sospechosa, y que en caso de peligro podría contar con la sociedad, que se pondría de su lado y lo liberaría de las garras de la vampiresa…

Todos desaprobaban la situación social de la mujer elegida; así, poco a poco, Askenasi tuvo que comprender que había emprendido una lucha sobrehumana al atreverse a ir contra las convenciones; que la sociedad sólo toleraba que sus miembros responsables «pecaran» siguiendo determinadas reglas, de cuatro a seis de la tarde y en locales acondicionados para ese fin, y que excomulgaba a los que violaban dichas reglas y se empeñaban en «pecar» de forma liberal y autónoma… Sus amigos lo miraban estupefactos, pero con cierto respeto; y a medida que fue orientándose entre la maraña de mentiras y leyendas, se enteró con asombro de que lo que suele designarse como «aventura» era muy poco frecuente en la vida de los hombres, y al hombre que optaba por una experiencia así ya nunca lo tomaban en serio, aunque lo miraban con el respeto que se merecen los que van camino del patíbulo… Todos coincidían en que la forma de muerte elegida por Askenasi podía ser agradable, pero «indecorosa» para un hombre tan distinguido.

Su primer encuentro resultó «indecoroso», y seguramente también el siguiente; Askenasi pronto se dio cuenta con temor y asombro de que la humanidad esperaba de él un comportamiento mucho más digno de lo que él se sentía capaz. A la bailarina la había conocido en la calle, un caluroso día de finales de agosto, a mediodía; ella subía la escalera del metro por delante de él y, con las manos enguantadas, cargaba un bolso de viaje mayor de lo habitual y, al parecer, muy pesado; iba sin sombrero y a primera vista se parecía tan poco a la mujer que Askenasi conocería más adelante, le pegaba tan poco viajar en metro o llevar ella misma su equipaje, ir sin sombrero, vestida casi como una gitana, que posteriormente él se preguntaría si las cosas habrían sucedido de la misma forma si en vez de encontrarse en la calle y en aquellas circunstancias, lo hubieran hecho en una reunión, vestidos con trajes de etiqueta. En cualquier caso, se acercó, le ofreció su ayuda cortésmente y trató de coger el bolso con una mano. Aquellos primeros instantes —que después nunca lograría reconstruir en su conjunto, pues el cuadro siempre quedaba incompleto: no recordaba su primera mirada, ni cuándo se fijó en aquel rostro por vez primera, o si le gustaba o no, y tampoco sus primeras palabras— transcurrieron en un silencioso tira y afloja; la mujer no respondió a Askenasi, sino que apartó la mirada con gesto de fastidio, como si sufriera una fuerte migraña, y siguió adelante; pero él ya había agarrado el bolso con gesto resuelto y así avanzaron unos pasos, subiendo la escalera entre pasajeros presurosos que los adelantaban. Askenasi venía de la biblioteca y se dirigía al instituto, donde a las tres de la tarde tenía que dictar una clase. Bajaron por la avenue Wagram sin dirigirse la palabra, pero llevando ya entre los dos el pesado equipaje, de cuyo contenido nunca se enteraría Askenasi, ni de las causas y circunstancias por las que Eliz había ido a la estación por aquel bolso, por qué no había cogido un taxi, si tenía dinero o no, con quién vivía o si llevaba ya algún tiempo viviendo sola. De todo eso nunca sabría nada. Avanzaban uno al lado del otro sin hablar. Más adelante, Askenasi recordaría que incluso parecían algo preocupados, pensativos, como un matrimonio que no tiene nada que decirse, en una monótona escena de la vida cotidiana. Alguien lo saludó y se quedó mirándolo, él correspondió al saludo algo distraído, con un gesto de la mano izquierda, porque no soltó el bolso ni por un segundo; reconoció a uno de sus estudiantes, un joven sudamericano rico y elegante que siguió mirándolos, tanto a él como a la mujer, con la boca abierta, con un asombro casi infantil. «¿Qué le sorprende tanto?», se preguntó Askenasi con irritación. Pensó vagamente en que tal vez ya era hora de dirigir unas palabras amables a aquella desconocida, pero enseguida lo descartó por considerarlo necio y superfluo.

Así llegaron a la puerta de una pensión.

—*Merci* —dijo la mujer, y se detuvo para arrebatar el bolso de la mano de Askenasi con un gesto enérgico.

Fue la primera vez que se miraron a la cara. Permanecieron un rato sosteniéndose la mirada, tal vez minutos enteros, sin decirse nada y sin moverse. De la pensión —la mayoría de cuyos clientes eran artistas del cabaret de enfrente— salieron dos mujeres jóvenes que saludaron a la bailarina con un gesto de la cabeza, con amabilidad y confianza, pero no se detuvieron, llamaron a un taxi, subieron y desaparecieron. El rostro de la mujer estaba serio, cansado, casi sombrío.

—*Merci* —repitió, se encogió de hombros y entró apresuradamente en la pensión.

Askenasi no la siguió. Vio un pequeño bar contiguo, se sentó en la terraza y pidió una cerveza, pero no la tocó. «A las tres tengo que estar en el instituto», pensó, pero aquello le pareció tan inverosímil como si tuviera que estar en África. Miraba fijamente el cartel del cabaret de enfrente, al malabarista de chistera que lanzaba al aire bolas de colores. «¿Hasta cuándo tendré que esperar? —pensó con impaciencia, casi enfadado—. Ya es hora de que venga.» Tenía la impresión de llevar mucho tiempo esperando. «Cuarenta y siete años», pensó de pronto. En ese momento, la mujer salió de la pensión, nuevamente sin sombrero, se acercó con pasos lentos y regulares, se detuvo frente a él y lo miró sin sonreír, sin cordialidad, incluso sin simpatía, como miramos a una persona a la que conocemos desde hace tiempo, sobre la que lo sabemos todo y con quien vivimos en tal intimidad que sobra asegurarle nuestra confianza y afecto con signos externos.

—*Venez* —dijo con voz átona.

Entraron en la pensión caminando uno al lado del otro. En el ascensor, la mujer trató en vano de encender la luz, el interruptor no funcionaba.

—Aquí siempre falla algo —se lamentó disgustada cuando el ascensor se puso en marcha.

． ． ．

Así empezó todo, de esa forma tan poco «decorosa». En una pensión de mala muerte donde se alojaban bailarinas, con una mujer a quien acababa de conocer en la calle y a la que siguió a una habitación desconocida, donde se quedó un tiempo indefinido pese a que tenía que ir al instituto, donde lo esperaban sus alumnos. La habitación le resultó completamente familiar; no sólo por parecerse a toda habitación de hotel, también por la disposición de los muebles, el chal verde tirado sobre la cama, una gran caja de sombreros y otros artículos de equipaje en la mesa; lo único que Askenasi no vio en ninguna parte fue el bolso que habían traído juntos desde el metro. En cualquier caso, todo le parecía conocido, tanto que casi resultaba aburrido. De alguna manera, todo estaba en su sitio, como en un recinto donde uno lleva años viviendo y sobra verificar la presencia de los objetos, basta con entrar para saber si falta algo. Allí no faltaba nada.

Ya era por la mañana cuando abandonó la pensión y salió a la calle. En aquellas semanas el tiempo, toda unidad y medida, parecía distorsionado. Lo recibió un sol reluciente, un alboroto agitado y resuelto. Caminó hacia la Étoile. Compró un periódico y lo abrió; no se hubiera sorprendido de ver en primera plana un titular sobre su persona: «Viktor Henrik Askenasi, profesor de la Escuela de Estudios Orientales, sufrió ayer a las tres de la tarde un atentado mortal en la avenue Wagram.» Tal vez habría también una fotografía con la descripción de la víctima o la foto de la pensión donde se habría perpetrado el crimen. Pero no encontró nada parecido. Durante la noche sólo se había quemado un plató cinematográfico y había llegado a París en visita oficial un primer ministro extranjero para estrechar los lazos de amistad con Francia. Eso le pareció bien poco. Tiró el periódico, cogió un taxi y dio al chófer las señas de su domicilio. Mientras el automóvil avanzaba por las calles soleadas hacia la Orilla Izquierda, observó con vivo interés el espectáculo que brindaban las calles. Se fijó en que junto al puente del Alma estaban construyendo un nuevo edificio; llevaba quince años pasando todos los días por el mismo sitio, pero hasta entonces nunca había reparado en aquel solar. Se quitó el sombrero y levantó la cara hacia el sol. «Me he quedado calvo —pensó, y enseguida—: Sí, de ahora en adelante todo será distinto.» Cerró los ojos, se arrellanó en el asiento y sonrió. Entonces, mientras iba en aquel taxi, lo embargó una extraña sensación de seguridad, la seguridad que ofrece la tranquilidad, la fuerza y la certeza de estar haciendo lo correcto, una sensación que ya no lo abandonaría durante las siguientes semanas y, visto sus efectos, resultaría un arma irresistible —en aquellas semanas todos retrocederían ante él y las cosas se solucionarían con naturalidad y sencillez—. Por primera vez en su vida se sintió una buena persona, y eso lo sorprendió. «El ser humano no es bueno —pensó con recelo—. No está hecho para serlo.» Sin embargo, no logró imaginar obstáculo moral o material que no pudiera vencer con facilidad. Y como una persona que se siente en posesión de la verdad o, mejor, que mira a los demás con tolerante condescendencia desde la superioridad de sus propias convicciones —a los demás que no tienen razón, porque desgraciadamente no pueden tenerla—, le pareció innecesario buscar una explicación a lo sucedido. «No tengo por qué defenderme —pensó con alivio—, más bien soy yo quien debería exigir cuentas por haber tenido que esperar tanto.» Con esta tranquilidad subió la escalera de su casa, entró en el vestíbulo, se detuvo y a continuación, con el sombrero en la mano, fue directo al dormitorio.

Su esposa estaba sentada en una butaca junto a la ventana, vestida como para salir a la calle; en un primer momento Askenasi no supo si llevaba mucho tiempo sentada así —tal vez desde la tarde anterior— o si se había levantado temprano para ocupar aquel sitio. La cama estaba hecha, así que tampoco tuvo claro si Anna se había acostado. Se sentó frente a ella, en el borde de la cama, y sacudió la cabeza. Su mujer lo miró sin pronunciar palabra; como si viese por primera aquel rostro tan pálido, se fijó con curiosidad en sus rasgos familiares pero al mismo tiempo desconocidos. «Es una mujer bella —pensó con una especie de admiración gentil—, muy bella. Mucho más bella que la otra.» Por un instante sintió ganas de decírselo; pero se contuvo porque, dadas las circunstancias, aquel requiebro no habría sido lo más oportuno.

De todas formas, no sintieron necesidad alguna de hablar. Se quedaron largo rato sentados, inmóviles; Askenasi recordaría más tarde que en la habitación contigua oía entrechocar de platos —estaban poniendo la mesa para el almuerzo, o quitándola después del desayuno—, percibió también la voz de su hija cuchicheando con la criada. Pensó que no sólo Anna, sino también su hijita, la criada y el mundo entero sabían —sin palabras ni explicaciones— lo que había ocurrido, que todo el mundo estaba ya al tanto de que a Viktor Henrik Askenasi le había sucedido, a la edad de cuarenta y siete años, algo tan inexplicable o irreversible como si el día anterior lo hubiera atropellado un tranvía o le hubieran diagnosticado un cáncer mortal; ya nadie podía hacer nada, había que mantener la calma y la disciplina, y aguardar hasta el desenlace final. En realidad le hubiera gustado iniciar una conversación amigable con Anna, compartir con ella aquella experiencia, al igual que lo habían compartido todo en la vida; le pareció imposible que ella no se sintiera feliz de que a su marido, por fin, le hubiera sucedido algo singular, excepcional y extraordinario. Pero no lograba dar con las palabras adecuadas para comunicarle la magnífica noticia. Aunque conocía las palabras hasta sus raíces más profundas y era capaz de seguir el rastro de las etimologías más oscuras, aunque trabajaba con las palabras como el albañil con los ladrillos, ahora le parecían instrumentos chapuceros, burdos e inútiles, hechos de una materia cruda y extraña. «Parece —reflexionó sentado en el borde de la cama, con el sombrero aún en la mano, frente a Anna, la mujer con quien había vivido y dormido durante quince años en aquel dormitorio y aquella cama— que la vida está hecha de una materia distinta de la que había conocido hasta hoy. La lengua también es una materia extraña, no representa más que una señal, una pauta, como los pictogramas. Para que las palabras digan algo, primero hay que traducir ese algo.» La idea lo entretuvo un rato. En aquel momento la única forma de comunicación, de diálogo, era el silencio. Tenía la sensación de que nunca había discutido con nadie con tanta vehemencia, profundidad y riqueza de argumentos como durante aquel silencio. Anna no lloraba; estaba pálida, eso sí, pero no tenía los ojos enrojecidos; permanecía erguida en una postura algo severa, con los brazos cruzados, sobre los hombros un chal de ganchillo. «Tal vez se muera de pena —pensó Askenasi con fría objetividad—. Sería terrible. ¿Qué es lo que se hace en estas situaciones?» Pero no se le ocurrió ninguna solución. Por otro lado, sabía con toda certeza que Anna no se moriría, ella era la más fuerte de los dos, incluso en ese momento, sentada allí delante de él, sumida en un silencio más ensordecedor que cualquier grito, mientras discutían en aquella lengua muda, la lengua «verdadera», una suerte de idioma desconocido; era él, Askenasi, el que tenía razón, y sin embargo era ella la que gritaba con más estridencia. «Ella será más fuerte —pensó con un asombro repentino por lo injusta que era la vida—, lo soportará, y seré yo quien muera.» Aquello le pareció inicuo e inmerecido, le hirió el orgullo, y clavó una mirada ceñuda en el suelo. En aquellas horas se celebraba, por fin, el juicio decisivo de su vida, lo sabía; se alegró de que tras una larga prisión preventiva hubiera llegado por fin la hora de enfrentarse al tribunal, sin importarle cuál fuera la sentencia; pero, al mismo tiempo, hubiera querido protestar porque habían trocado los papeles: en realidad él no era el acusado, sino la víctima. Anna lo miraba sin pestañear, se observaban casi con indecencia, como si hubieran descubierto en el otro una nueva forma de desnudez despiadada, una desnudez insoportablemente obscena. Miró a su mujer con furia, ya seguro de que, a despecho de la ley o la justicia, ella sería la más fuerte. Sabía que algo había comenzado y no precisamente a las tres de la tarde del día anterior en aquella pensión, con una desconocida; sabía que todo aquello —no sólo su relación con Anna y la desconocida, no sólo la intención de abandonar aquella casa y a su hija, su esposa, su trabajo y las convenciones en general, para irse con otra mujer, a otro piso, según otras convenciones— no eran más que detalles del proceso o la experiencia que se había iniciado, que algún día aquella desconocida también desaparecería de su vida, pero que el proceso continuaría, ya que la trama, el sujeto y el significado eran el propio Askenasi, y tal vez no sólo como se veía él allí —sentado frente a su esposa, con el sombrero en la mano, a sus cuarenta y siete años, calvo y con gafas—, sino también algo más: su destino como persona, un ideal que estaba fracasando en aquellas circunstancias mezquinas y lamentables formadas por él mismo, aquella habitación, Anna y la desconocida de la pensión. No era necesario ni oportuno explicar qué le había ocurrido —como si tras un terremoto alguien tratara de explicar que no ha sido culpa suya, que lo siente en el alma y pide perdón por el hundimiento de todo un mundo—. A Anna no podía explicarle lo que sentía en aquel momento, ni siquiera podría habérselo explicado a otra Anna, ya que él mismo empezaba a intuirlo en aquel preciso momento y aún balbuceaba como un niño aprendiendo un idioma.

Anna sabía perfectamente que él, su marido, no era un frívolo donjuán en busca de aventuras nocturnas que ahora volvía a casa como un gato satisfecho tras una correría más. Ella sabía muy bien lo que significaba que, tras quince años de matrimonio, Askenasi pasara la noche fuera de casa. Lo sabía tan bien que no lloraba, ni se lamentaba, ni llamaba a la policía; simplemente había pasado la noche en blanco sentada junto a la ventana, vestida y con un chal de ganchillo sobre los hombros, como si estuviera helada. Y entonces él también sintió frío; como si de pronto los hubiera envuelto una corriente de aire gélido, casi le castañeteaban los dientes. Pensó, algo cansado, que algún día tendría que explicar aquello no a Anna, que lo sabía y entendía todo, y con quien se desahogaba, o, mejor dicho, se ahogaba, sino a otra persona, tal vez a un juez o un sacerdote que no lo entendería y tendría derecho a formularle preguntas. «Será difícil de explicar —pensó disgustado—. Nada hay más difícil de explicar que un asunto privado.» Claro, él también, Viktor Henrik Askenasi, era un ser humano lleno de vicios, flaquezas y debilidades pecaminosas; pero a lo largo de toda su vida siempre había oído una extraña voz —no humana, más bien una música sin melodía—, y mientras siguiera oyéndola no le pasaría nada, no tendría la culpa de nada; ahora también la oía. Pues sí, fracasaría, porque Anna era más fuerte, pero lo haría con la conciencia tranquila y seguiría oyendo aquella extraña voz hasta el final; y tal vez daba lo mismo morir siendo inocente o culpable... «La gente prefiere las cosas sencillas —pensó con resentimiento— y difícilmente lo entenderá. La gente lo clasifica todo en unas pocas nociones preconcebidas, como amistad, amor, matrimonio, aventura, infidelidad, y piensan que la vida cabe en estos conceptos. Pues no cabe.» Y lo que había entre él, Anna y aquella desconocida no era ni matrimonio ni aventura, aquello carecía de nombre y sería muy difícil de explicar. Gracias a Dios, Anna lo entendía. Lo entendía tan bien como una persona a quien le leen la sentencia de muerte y le preguntan si quiere pedir clemencia. Claro que quería. Anna pediría clemencia y la agradecería, y Askenasi se la daría porque en el fondo su alma era compasiva. Y el que quiera vivir con misericordia entre la gente, está perdido. «O la misericordia o la vida —pensó—. Anna sabe que soy compasivo, de manera que estoy perdido.» Se sonrojó, confundido. Apartó la mirada y la paseó por alrededor sintiendo vergüenza. Aquella habitación, con los armarios, la cama y el gran espejo, y su mujer: nunca podría deshacerse de ellos, los llevaría consigo hasta la muerte. No sintió rabia ni rencor, sólo tristeza y vergüenza. Sabía que nunca, en ninguna situación, volvería a sentir ese peculiar pudor ni la vergüenza que lo atenazaban ahora, cara a cara con una mujer que lo sabía todo sobre él, incluso que estaba dispuesto a ser misericordioso y que lo sería en cuanto pudiera. Agachó la cabeza y se rascó la barbilla. «La gente prefiere las cosas sencillas —se repitió con sereno reproche—. Por ejemplo, aventura. Por ejemplo, matrimonio.» Le pareció que el matrimonio era una cosa completamente impúdica. «Con Anna no se pueden hacer *esas cosas* —pensó a modo de disculpa, casi asustado—, el matrimonio no está hecho para eso. Sólo se pueden hacer con una desconocida. Pero con alguien que lo sabe todo sobre nosotros, no se pueden hacer cosas así; sólo se podría mientras fuera una desconocida...» Se acordó de lo mucho que había amado a Anna, todo lo que habían hecho juntos en los primeros años de su matrimonio, en aquel dormitorio, mientras aún eran unos extraños, mientras aún había cierto misterio entre ellos. Al desaparecer el misterio comenzó el pudor. Habría querido ponerse el abrigo, tanto frío sentía en aquel gélido ambiente. «Anna también ha de sentir frío», pensó y extendió la mano para colocarle mejor el chal que llevaba sobre los hombros, pero ella se apartó.

«Un gesto innoble por su parte —pensó—. Sólo faltaría que se enfadara. Hay que ver cómo son las mujeres.» Se puso en pie y empezó a pasearse por el cuarto con una desenvoltura impostada. Anna también se levantó, se acercó a él y le puso las manos en las mejillas, sujetándole la cabeza; se detuvieron en medio de la habitación y se miraron de hito en hito. Sintió el cabello de Anna junto a su rostro, el familiar y agradable aroma de su champú de heno. «Olores como éstos son los vínculos más fuertes que hay entre las personas —pensó—. Uno no puede librarse de ellos.» Rodeó el cuello de Anna y permanecieron pegados el uno al otro, dos cuerpos que se conocían mutuamente a la perfección, no sólo el corazón y el cerebro, sino también el estómago, el hígado y el bazo, cada centímetro cuadrado de piel. «Es arriesgado —pensó, turbado al imaginar que tendría que separarse de todo aquello—. Pero se trata precisamente de eso, de un riesgo mortal. De otra manera no habría que discutir sobre dónde ha pasado la noche uno y qué ha hecho.» Besó a Anna y aquellos labios conocidos —cuyo olor, gestos y movimientos le eran tan familiares— le respondieron dócilmente, con suavidad y cierta impudicia, tal como solían hacer en los primeros tiempos, cuando aún había misterio entre ellos. De pronto, Anna se convirtió en una desconocida: se volvió y echó la llave a la puerta, luego abrió la cama y, sin decirse nada, empezaron a desvestirse. «No, imposible —pensó él con inquietud—, Anna es una mujer seria, no es propio de ella comportarse así.» Miró alrededor, como si quisiera huir. «Tal vez se ha vuelto loca —se dijo asustado—, tiene un arrebato de locura, la locura del cuerpo. Es imposible que Anna, una mujer tan seria y serena…» Pero lo que pretendía ella era precisamente consumar la locura del cuerpo, estaba decidida; una locura indecente e impropia de dos personas serias, de dos viejos amigos, como eran ellos; pero él no podía evitarlo, hubiera sido vergonzoso huir en aquel momento. Anna confiaba en su cuerpo, y a Askenasi lo conmovió su audacia casi heroica al verla acostada en la cama, desnuda e inmóvil, extremadamente pálida a la diáfana luz de la mañana, y en aquel instante estuvo dispuesto a realizar cualquier sacrificio con tal de calmarla, incluso decirle que era muy bella y que no se trataba de eso. Anna yacía tumbada con los ojos cerrados, completamente desnuda, como si se hallara en el quirófano. Empezaron a besarse.

Los dos cuerpos se fundieron sumisos, como dos acróbatas experimentados que intuyen cada movimiento del otro y lo ayudan. «Pero no es esto —pensó Askenasi con tristeza, con los ojos cerrados—, esto es otra cosa, porque carece de misterio.» Los dos cuerpos se ayudaban, como si se tendieran el pan y la sal,[1] sin tener que pedir nada, como dos comensales que saborean el mismo plato y saben lo que el otro necesita. «Claro que no —añadió para sus adentros con tranquilidad, casi distendido, como quien dispone de tiempo de sobra, porque los dos cuerpos sabían lo que tenían que hacer—, de ninguna manera se trata de esto, originalmente no fue concebido así. Dios no puede ser tan poco imaginativo... —Y poco después—: Es evidente que Anna se equivoca, el cuerpo no significa nada. La verdad es que estas cosas no me van. Es como un ejercicio de acrobacia, como el que realiza el dúo coreano en el cabaret.» Sonrió sin abrir los ojos. Veía con nitidez la imagen de la pareja de acróbatas coreanos, dos cuerpos semidesnudos a la luz de los focos, adoptando posturas extrañas, persiguiéndose en evoluciones de fantasía, hasta que en el momento culminante, tras un ejercicio espectacular, se interrumpe la música, la mujer emite un chillido breve y apagado y, *voilà*, el salto mortal... Oyó un chillido breve y apagado; se quedó unos instantes inmóvil, esperando que la orquesta anunciara el momento culminante y que el público estallara en aplausos; luego podría irse a casa.

Después de un rato se vistió y se fue. Anna se quedó en el lecho sin moverse, como si durmiera. La miró desde la puerta y temió que pudiera resfriarse si seguía mucho tiempo así, desnuda. Volvió y la tapó con cuidado. Salió de la habitación de puntillas, en el vestíbulo aún pensó que tal vez debería recoger unas cosas, ropa o libros; pero de pronto miró el reloj como temiendo llegar tarde a alguna parte y se marchó apresuradamente.

Llevaría unos tres meses viviendo con la mujer desconocida, cuando empezó a asombrarlo que la felicidad y el placer, o sea,

---

1. Referencia a la forma tradicional de dar la bienvenida en Europa Central y Oriental.

aquel estado anímico extraordinario que suele considerarse la única recompensa por los sufrimientos terrenales, en realidad se parecían muy poco a lo que se había imaginado. Lo que estaba viviendo era sin duda felicidad, pero a veces le extrañaba que fuera un estado incómodo, complejo y, al fin y al cabo, poco agradable. Lo que más lo incomodaba era la intensidad de tal sentimiento: resultaba exagerado, forzado, como si tuviera que andar en frac y sombrero de copa todo el santo día, incluso entre semana. Comenzó a comprender que la felicidad no podía considerarse una propiedad privada que uno adquiere un día, como una herencia, y luego ya sólo tiene que cuidarla y evitar que se la roben o que pierda valor. La felicidad había que descubrirla cada media hora, cada minuto, se manifestaba de forma impredecible, y en términos generales era más agotadora e irritante que agradable y tranquilizadora. Los meses que convivió con la desconocida (Anna seguía siendo la mujer conocida y Eliz la desconocida; independientemente de que con el tiempo se iba distanciando de la primera y acercándose a la segunda, en su interior seguía llamándolas así) a veces le recordaban el año que había pasado en el ejército, un período que había sobrellevado poniendo buena cara, porque era penoso y agotador, pero que, a fin de cuentas, formaba parte de la vida. Ésa era, pues, la llamada buena vida. Sin duda, un estado excepcional: como en el servicio militar, tenía que usar uniforme (Eliz se esmeraba en vestirlo, aunque Askenasi nunca se había preocupado por la ropa, y le encargaba trajes, ropa interior y corbatas, que si bien le recordaban los atuendos que había llevado hasta entonces, le parecían una especie de disfraz), se levantaba y acostaba a una hora distinta de la habitual, comía platos diferentes, y el resto del día realizaba servicios cuyo sentido no lograba descifrar, pero —igual que en el ejército— tampoco creía que valiera la pena meditar sobre ello. Por ejemplo, a cierta hora del día, como si fuera un turno de guardia, tenía que esperar a Eliz bajo un árbol, y ella llegaba invariablemente con retraso, de modo que igual podría haberla esperado en casa o en una cafetería, y aún más, la mayoría de las veces ni siquiera se presentaba. Naturalmente, aquellas excéntricas obligaciones que abarcaban todas las horas del día y la noche le impidieron continuar con sus trabajos e investigaciones; pero hasta eso le parecía natural, al igual que en el servicio militar, donde no podía ocuparse de sus quehaceres de la vida civil. A veces, en sueños, se veía a sí mismo en uniforme militar, con la pechera llena de condecoraciones, dando parte de algo ante Eliz. Pensaba en lo bella que era la buena vida, pero que ojalá terminara cuanto antes para poder volver a sus estudios, a aquella modesta y burda vida de burgués en la cual no existía disciplina, gallardía ni heroísmo, pero que en el fondo era la suya. Mas todo eso lo pensaba tan sólo en sueños; porque estando despierto lo dominaba una y otra vez aquel estado excepcional, aquel comportamiento excéntrico y orgulloso que conllevaban sus nuevas circunstancias. Pero ni por un momento olvidaba que aquello no era más que un período transitorio, algo que había que superar y que no era su estado real. «Parece que no tengo vocación de amante», pensaba en ocasiones, tras esos sueños agitados. Porque se había dado cuenta de que entre los hombres había amantes por vocación que se ocupaban del amor como si acudieran al despacho, y el servir a la mujer los llenaba de una forma plena y profesional; Askenasi observaba con disimulada envidia a los hombres que se entregaban en cuerpo y alma al arte del amor, que no se ocupaban de ninguna otra cosa y que con el tiempo alcanzaban, seguramente, un alto rango en el escalafón de aquel oficio. En compañía de esos caballeros se sentía incómodo, tanto como puede sentirse un civil desengañado o un reserva en compañía de oficiales en activo que no acaban de tomar en serio al advenedizo. «Cuando vuelva a la vida civil —pensaba a veces medio dormido tras una agotadora misión, aunque honorable y magnífica— tal vez pueda hacer algo útil; de momento debo cumplir este año de servicio.» Y a veces sentía como si volara; soñaba que era Lindbergh cruzando el océano, camino de otro continente, y que ya era tarde para volver o aterrizar; no le quedaba otra salida que seguir volando. El continente que había dejado a sus espaldas, el conocido, el familiar, era sin duda Anna, pero ni en sus sueños confundía nunca la orilla opuesta, la meta, con Eliz: el objetivo era simplemente llegar a un continente desconocido, e ignoraba lo que lo esperaba allí. Eliz era el «vuelo», la «experiencia», el peligro mortal —así lo sentía—, pero nunca la tierra firme. Ese sueño también era una metáfora de su situación, al igual que el del servicio militar y el del uniforme; a veces se fijaba en el altímetro, en el tiempo que hacía, en la lluvia o la tormenta que tenía que atravesar para alcanzar su destino. Anna era el hogar abandonado, dulce y triste como la infancia, lleno de recuerdos dolorosos pero al mismo tiempo tiernos. Anna era la madre y el hogar de los progenitores —no su continuación— que un día, cuando uno llega a la mayoría de edad, le crece el bigote y tiene dinero y amantes, hay que dejar definitivamente. «Eliz no es la clase de mujer que puedo llevar a casa de Anna», pensaba a veces a modo de justificación.

«¿Cuánto más durará este viaje tan difícil? —se preguntaba a veces—. ¿Y qué pasará cuando finalmente llegue a algún lugar? Con Anna ya nunca podré volver.» Sabía que Anna era más fuerte, que lo tenía agarrado y jamás lo soltaría; pero, curiosamente, nunca podría volver con ella, como mucho podrían vivir juntos, bajo el mismo techo, pero como si estuviera de visita, al igual que visitaba a su madre, que vivía en el campo; Anna era el eterno hogar, pero él ya había crecido demasiado para estar en aquella casa, y al pensar en el lecho común que había compartido con ella sentía que ya no cabría en él, tal como no cabe un adulto en su cama de niño. En torno a Anna todo resultaba limpio y racional, su aliento y sus manos tenían un olor agradable y familiar, al igual que la ropa de cama y la mantelería, y cada uno de sus gestos, por ejemplo cuando cogía algo entre las manos, tenía una finalidad sencilla e inequívoca. Eliz era mucho más interesante, pero él siempre la tocaba con sospecha, como los objetos en un viaje, en el hotel o el tren, o sea, en un entorno mucho más emocionante que el hogar; a veces se lavaba las manos o se bañaba a deshora, y en cada uno de los días de aquellos meses hubo horas en las que no sabía a qué dedicar su tiempo, como si estuviera sumergido en el ajetreo caótico de una ciudad desconocida, donde el viajero, por no tener nada que hacer, se recluye en la habitación del hotel, a la espera de la cena o la salida del tren. Le sorprendió una y otra vez lo compleja y complicada que era la felicidad. Pero ya había abandonado su hogar y ahora le tocaba pasar por el trance de la felicidad; luego, pensó, tal vez llegaría a alguna parte.

Eliz a veces regresaba tarde a casa y en otras ocasiones se encerraba en su habitación durante días; a veces le pedía que la acompañara y entonces acudían a casas desconocidas, lujosas, de un carácter difícil de definir —en aquellas ocasiones Askenasi tenía que «disfrazarse», Eliz controlaba personalmente la corbata, el traje y los zapatos que se ponía—, donde se congregaba gente unas veces interesante, otras, aburrida, pero a todas luces rica o famosa, gente singular, que recibía a Askenasi con especial amabilidad, más o menos como si fuera el embajador de un país extranjero acreditado en un país exótico. En aquellos lugares, Eliz se movía con soltura, dominaba el lenguaje en que se comunicaban sus anfitriones; a Askenasi le costaba trabajo seguir aquel peculiar dialecto. Conoció a mucha gente famosa que se había ganado un enorme prestigio por su riqueza, en la vida teatral o en alguna profesión indefinida; Askenasi nunca llegaba a saber si en realidad aquellas personas eran buscadores de oro, comerciantes de aves al por mayor o «autores» de fama internacional; porque también había entre ellos escritores cuyo nombre se mencionaba con gran respeto, pero sin definir con exactitud qué clase de obras escribían. En aquellas reuniones solía haber gente divertida y campechana, e incluso, en más de una ocasión, tipos muy ingeniosos; todos hablaban el mismo lenguaje, con mayor o menor fluidez; pero Askenasi nunca lograba esclarecer si la persona genial y en extremo cordial con quien charlaba durante media hora en un rincón, era actor de cine o sociólogo. En aquel mundo extravagante, todo gesto se quedaba a un milímetro de distancia del mundo real; a veces, los interlocutores parecían asomarse a él, pero en el último instante, siguiendo alguna convención tácita pero respetada por todos, retrocedían con rapidez para empezar a hablar de otras cosas, la mayoría de las veces extremadamente ingeniosas. Al igual que los invitados que llenaban las salas de aquellas casas, los anfitriones también eran gente rica o famosa, y todos extraordinarios, sin excepción; sólo que Askenasi nunca había oído sus nombres, pero se consolaba pensando que el mundo es muy grande y muy poblado, y que tal vez no había leído las crónicas de sociedad con suficiente atención. Muchas veces iban a bares y restaurantes, donde una vez más volvían a encontrarse con gente famosa y simpática, que al parecer se sentía muy distendida en todas partes, y con la que pasaban ratos agradables. Askenasi a veces se asombraba de lo fácil que resultaba sostener conversaciones amenas.

Sospechaba vagamente que «hablar» no era lo mismo que «conversar», y por lo general había algo inverosímil en aquellas casas, en los modales de aquellas personas y también en los asuntos que trataban; tenían algo de inalcanzable. Le daba la impresión de estar viéndolos en el cine, como si no se tratara de gente de carne y hueso, de tres dimensiones. Pero nunca se atrevió a comentárselo a Eliz, que formaba parte de dicho mundo; ella, al parecer, también era famosa, ya que la aplaudían sin cesar y la recibían con júbilo; pero no logró averiguar dónde, cuándo y por qué había conquistado tanta fama. Todo el mundo lo trataba con cortesía y amabilidad, pero sin mayor interés; le hablaban como a un huésped de paso, que tal vez al día siguiente saldría de viaje y al que no valía la pena dedicar demasiado tiempo ni atención. En aquellas reuniones muchas veces, después de la cena, lo tentaba la idea de pedir la cuenta y pagar. Aquel mundo exterior resultaba inverosímil, pero a menudo le deparaba sorpresas concretas y palpables; por ejemplo, en una ocasión llevaban varias semanas en un hotelucho, y de repente un día hicieron las maletas y se trasladaron a un piso bonitamente amueblado, con una doncella y un lacayo. Aunque Askenasi no se sorprendió demasiado. Desde que había cruzado el umbral de aquella pensión en compañía de una mujer desconocida, todo le parecía natural, y no le hubiera sorprendido que una madrugada llegara la policía para detenerlos a ambos, como tampoco que una tarde subiera a la habitación el mismísimo nuncio apostólico, enfundado en sus hábitos de color púrpura y sus guantes rojos, para conversar animadamente con Eliz, a quien conocía y apreciaba desde hacía tiempo. Todo lo que sucedía alrededor era cotidiano e insignificante si lo comparaba con lo que sucedía en el mundo verdadero de Eliz: los invisibles fenómenos atmosféricos, lluvias, canículas, vendavales y nevadas que la rodeaban sin cesar; o al menos eso decía ella. Aquel clima peculiar a veces terminaba agotándola y entonces no se movían de casa durante días, no recibían invitados, por muy famoso que fuera el escritor, el criador de ratas almizcleras o el corredor de bolsa que se presentara. En aquellas ocasiones, Eliz se vestía amoldándose a su clima interior; a veces andaba por casa envuelta en abrigo de pieles, tiritando de frío, como si avanzara en medio de un temporal de nieve, independientemente de que fuera hiciera un cálido y soleado día de septiembre; pero tampoco le importaba que fuera invierno, y en diciembre se ponía traje de baño y pasaba horas tomando el sol junto a la chimenea encendida. Así que Askenasi no se asombró cuando se mudaron y Eliz contrató una doncella y un lacayo; tratándose de ella, seguramente sólo era cuestión de tomar la decisión. Un día le pidió que fuera al banco a canjear un cheque cuantioso extendido a nombre de Askenasi y firmado por ella; se lo canjearon de inmediato —nunca había tenido entre las manos una suma tan elevada—, y a él le pareció de lo más natural que Eliz fuera tan rica; pero, pocos días más tarde, ella le pidió una suma insignificante, y más adelante le fue entregando alhajas mientras le explicaba cuánto tenía que pedir por ellas en la casa de empeños. Askenasi, con obediencia y curiosidad, cobraba en el banco el dinero de Eliz, empeñaba sus joyas, negociaba con intermediarios de diverso género y habitualmente llevaba en el portafolios sumas cuantiosas; en aquellos meses vendió prácticamente todo lo que tenía, pero al separarse de ella observó sorprendido que, pese a su estilo de vida desordenado, apenas había gastado algo… Hubiera sido absurdo preguntarle a Eliz de qué vivía, o si necesitaba algo; no era posible dirigir o «encauzar» su vida, ni tampoco necesario. Su vida y todo lo que la rodeaba estaba bien tal como estaba; sobraban los consejos, al igual que está de más tratar de convencer a un león de que comer hierba resulta más saludable, o a un ermitaño de vivir una vida frívola y sociable. Eliz no cometía errores, vivía dentro de su propio mundo con su propio clima, del que nunca salía, independientemente de que tuviera frío o se estuviera abrasando. Sus compatriotas, los rusos —todos famosos, ricos y elegantes—, la trataban con profundo respeto, pese a que el padre de Eliz no había sido ningún príncipe emigrado, simplemente un comerciante de pescado de Kiev, muerto hacía tiempo, antes de la revolución; Eliz, por su parte, sabía poco de Rusia y aún menos anhelaba visitarla.

En realidad no anhelaba ir a ninguna parte; se conformaba plenamente con las pequeñas excursiones que hacía dentro de sí misma, a cualquier hora del día o la noche, preparándose minuciosamente para las sorpresas que le deparara aquella selva. Viajaba por su mundo invisible como una amazona, sin ningún temor; y si —muy de cuando en cuando— la asustaba algún encuentro inesperado, se sentaba pálida ante su tocador, cubría el espejo con un velo y rezaba o discutía. Askenasi nunca le preguntó dónde solía bailar ni qué, si danzas sagradas o cancán en algún cabaret. Le parecía muy probable que en el pasado Eliz hubiera conocido a muchos hombres, o tal vez no sólo a hombres, sino también a mujeres o incluso cocodrilos. Ninguna criatura viviente le era ajena. Tampoco le hubiera sorprendido que un día aparecieran agentes de la policía moral buscándola, para obligarla a llevar en el bolso la identificación de las tristes hijas del amor remunerado. Eliz sentía una gran afinidad por los animales, conversaba con las moscas y por la calle la seguían los gatos; pero él también la había visto entablar discusiones con mendigos en plena calle, a quienes luego subía a casa, regateaba con ellos animadamente y al final los echaba sin darles una mísera limosna; se llevaba bien con todo y con todos. Pero al mismo tiempo, también todo se desmoronaba a su alrededor: por efecto de su presencia, los objetos de una habitación cambiaban de sitio aleatoriamente; y toda materia viva o inerte sufría una mutación, se consumía o se transformaba, cuando ella la ponía a su servicio. La mayoría de las veces estaba alegre, le gustaba comer con abundancia, y bien temprano por la mañana se llevaba a Askenasi al mercado, donde tocaba, saboreaba y olía todo, jubilosa por la variedad y el ingenio de la naturaleza; como una advenediza que quiere tenerlo todo —advenediza no de una posición social sino de la vida misma—, se lanzaba ávidamente sobre todo lo que brillaba, olía o sabía bien. Vivía dentro de su propio mundo invisible, pero no por ello se mostraba indiferente o insensible ante los placeres y sorpresas que deparaba el mundo material. También respetaba las formalidades; los domingos cogía a Askenasi del brazo e iban a misa, donde rezaba arrodillada y con la cabeza inclinada. Eliz era ceremoniosa, más o menos como una indígena que fuera presentada en la corte británica; a veces se olvidaba por completo de las reglas básicas del saber estar, otras veces resultaba ligeramente más solemne, formal y prudente de lo que exigían las reglas sociales. Desconocía el sentimentalismo.

Era joven, pero la vida mundana había moldeado y transformado su belleza antes de tiempo; en ocasiones se sentaba ante el espejo y aseguraba que no era ella misma. Y en otras se besaba sus propios hombros y se elogiaba por lo buena que era y decía que el mundo no la merecía. Y tampoco Askenasi. A veces le daba la impresión de que Eliz se había olvidado de él; que sólo seguían juntos por mera distracción. Que se le había olvidado decirle que ya se había hartado de él. Y Askenasi pensaba que seguiría deambulando por la casa hasta que alguien lo notara y lo echara. Eliz hablaba con los hombres que venían a visitarla con el mismo tono celoso y apasionado que empleaba con él; seguramente concedía la misma importancia a todos los hombres, también a aquellos que aún no conocía e incluso a los que vivían en la lejana Laponia. Durante aquel período, Askenasi tuvo una vida serena, sin sobresaltos, y siempre estaba de buen humor. Seguramente no le hubiera costado dilucidar los asuntos de Eliz, prestar más atención cuando hablaba con la gente, leer sus cartas, pedirle que le enseñara el pasaporte. A veces se imaginaba que era una vulgar aventurera, una mujer de poca monta y nada interesante. Pero estas observaciones no socavaban su buen humor, ni la seguridad que lo llenaba a todas horas, porque sabía que él tenía razón y que las cosas estaban bien así como estaban y que no podían ser de otra manera. Él no se ocupaba del futuro con la ansiosa curiosidad de Eliz. Ella le explicaba muchas veces que su relación era «distinta» porque él era «diferente».

Askenasi asentía con la cabeza. Para entonces, su romance con la bailarina había llamado la atención de mucha gente; en la Escuela de Estudios Orientales había pedido un largo permiso sabático y desatendía sus investigaciones. Sólo le prestaba atención a ella. Se quedaba mirándola cuando dormía, esperaba pacientemente que volviera de alguna de sus excursiones espontáneas, tocaba sus objetos personales y los examinaba. En ocasiones Eliz resultaba extenuante, pero nunca aburrida, muchas veces ridículamente sublime, otras maravillosamente vulgar, pero en conjunto era una mujer sencilla y tremendamente sincera, todo menos enigmática. Su estilo de vida, sus amigos, sus extraños negocios llamaban poco la atención de Askenasi: él venía de otro mundo y otra vida, y no le costaba imaginarse que la mayoría de la gente —cuyas costumbres desconocía— vivía de forma tan caótica y espontánea como Eliz. Sus datos personales, «su ficha policial» según decía, no le interesaban; Eliz le parecía más bien una compañera de viaje con la que por fin había podido emprender un nuevo camino; pero aquel viaje no lo conducía hacia el mundo y mucho menos hacia el mundo de ella. Eliz era seguramente una mujer original e interesante que ejercía una notable fascinación en los hombres; pero Askenasi ya no tenía depositada sus esperanzas en ella, ni era nada celoso: de ella sólo esperaba recibir alguna indicación sobre la dirección a seguir, y temía distraerse justo en el momento que ella se la ofreciera, mostrándole finalmente por dónde emprender su propio camino, algo que lo atraía y al mismo tiempo lo asustaba, ya que avanzaría en la más completa oscuridad. En aquel tramo del camino, Anna ya no podía ayudarlo, y Eliz tampoco podría acompañarlo más allá de los primeros pasos. Permanecía vigilante y alerta. Esperaba el momento de tener que dejarla con la misma crueldad que había dejado a Anna; el momento en que tendría que abandonar a todos para seguir adelante, puesto que ya había emprendido aquella senda. Mientras, al lado de Eliz, pensaba con temor creciente en el instante en que finalizaría aquel idilio o aquella aventura; entonces se quedaría irremediablemente solo con el cometido que le había deparado el destino, a él y a nadie más.

Durante meses vivió pacientemente en habitaciones desconocidas, con una mujer desconocida, con el patético disfraz de un hombre maduro enamorado, en un entorno difícil de definir, esperando la señal, la clave secreta que, de súbito, le aclararía el sentido de aquel caótico embrollo de imágenes. Estaba tranquilo, sabía que si perseveraba en su vigilancia, un día encontraría una respuesta coherente a su pregunta; claro que primero tendría que formularla con exactitud, lo que no resultaba nada fácil. Observaba a Eliz, cada uno de sus gestos al hablar por teléfono, al bañarse, al peinarse o al comer; en su compañía se mostraba recatado y apenas hablaba, pero su tenacidad no disminuía. De ninguna manera quería irse de allí con las manos vacías. Durante los quince años que pasaron juntos, Anna no había sido capaz de responder a su pregunta; ahora había llegado el turno de preguntarle a Eliz y si ella tampoco respondía, continuaría su andadura y preguntaría a todos los que se cruzaran en su camino. Hasta entonces la razón no le había dado ninguna respuesta, así que se veía obligado a seguir su investigación a través de medios más vulgares, equívocos e impuros como eran el cuerpo y los sentidos. De momento no podía dirigirse directamente a quien conocía la respuesta; directamente a la «Idea», como la llamaba.

El «pequeño comité» ya maquinaba contra él a pleno rendimiento, pero Askenasi apenas se defendía. A veces se reunía con sus amigos, hablaba con sus antiguos conocidos, que lo consolaban desde una posición elevada, como habla un hombre de pasado intachable con un reo en prisión preventiva, le pedían que se mantuviera firme y tranquilo, que las sospechas ya se disiparían y que con el paso del tiempo triunfaría la verdad. Askenasi tampoco buscaba otra cosa que no fuera la verdad. Por las noches, después de volver de casa de gente famosa e interesante, se paraba ante el espejo y se contemplaba en su frac. «No importa —pensaba—. Sándor Körösi-Csoma[2] se vestía de lama.» Encendía la luz después de que Eliz se

---

2. Famoso lingüista y orientalista húngaro especializado en el Tíbet (1784-1842).

quedara dormida y estaba hasta la madrugada contemplando aquel rostro desconocido, con la misma perseverancia con que en sus años de estudiante pasaba la noche analizando textos escritos en otros idiomas; en sus rasgos buscaba el mensaje, el sentido y la respuesta, como si se tratase de retorcidos pictogramas orientales. «Es imposible que sólo se trate de esto», pensaba aquellas noches. Permanecía tranquilo, tenaz y curioso; en realidad no era mucho lo que quería, simplemente una respuesta. Observaba a Eliz, a sí mismo y su relación casi con la misma metodología que había utilizado en sus investigaciones. Tenía en cuenta las mínimas cosas y las comparaba, porque sabía que todo detalle puede ser relevante, que no hay nada secundario o insignificante. No le cabía duda de que aquel nuevo campo de investigación resultaba mucho más arriesgado que el anterior. Askenasi no concedía mucha importancia a la «experiencia visual»; tanto su educación como su forma de pensar le impedían buscar la experiencia más allá de su origen, la conciencia. «La experiencia no puede ser un fin en sí misma —pensaba mientras buscaba las gafas para poder observar con más nitidez a la Eliz durmiente—, y tanto menos desde que no existe ningún fin. Y éste es precisamente el aspecto divino y grandioso de la concepción, esta falta de fines. Pero sólo se refiere al espacio. Aquí en la Tierra debo conformarme con la geometría euclidiana, con las relaciones lógicas entre los detalles, con Eliz, por ejemplo.» No le parecía probable que él, Viktor Henrik Askenasi, de un día para otro pudiera encontrar la respuesta con la ayuda de Eliz, la respuesta que llevaba ya cuarenta y siete años sin encontrar en los libros ni en su conciencia, a la que no había sabido responder ni su madre, ni Anna, ni las mujeres y hombres con que se había relacionado hasta entonces, quienes sufrían lo indecible porque también buscaban dicha respuesta y se consumían en aquella búsqueda apasionada. No le parecía probable que hubiera afrontado los riesgos de aquella investigación sólo «por una mujer»; al emprender el camino había arrojado por la borda cosas de gran valor, como si fueran un lastre inútil, y a seres humanos, entre ellos personas tan nobles como Anna. Naturalmente, este camino tan peligroso tenía que emprenderlo en solitario y sin equipaje superfluo. «Cuando uno hace experimentos con explosivos desconocidos, no permite que sus familiares entren en el laboratorio.» No tenía ningún sentido formularle preguntas directas a Eliz, como tampoco a un médium inculto que en trance habla idiomas extranjeros, pero despierto es parco en palabras e ignorante. Ella tampoco sabía más que Askenasi acerca de la pregunta y la respuesta. Había que esperar simplemente a que entrara en trance.

Eliz era una buena médium. Vivía cerca de su cuerpo, ningún obstáculo artificial la separaba de sus sentidos. Mantenía una relación de confianza con su cuerpo. No conocía el pudor y menos aún la prudente austeridad que, según un convenio social, confiere a las actividades del cuerpo el carácter de una peculiar fiesta pagana; Eliz no distinguía días laborables y días festivos en la vida de sus sentidos. Celebraba el cuerpo día y noche. Conversaba con sus manos y sus pies, en ceremonias breves pero que se repetían sin cesar, se acariciaba los senos con ternura y no consideraba la desnudez como una indumentaria del amor que los fieles sólo usan en ocasiones especiales; ella siempre estaba desnuda y sólo se vestía de vez en cuando, más por razones climáticas que por obligación social. «Tal vez sea el cuerpo... —pensó Askenasi con prudencia—. Tal vez el cuerpo sepa algo.» Y continuaba escudriñando sumido en sospechas. Como todo hombre perteneciente a una civilización, él también sufría desde la juventud por las limitaciones arbitrarias impuestas a la satisfacción física; pero se consolaba diciendo que la satisfacción plena no existía, que ése era un mero concepto abstracto, al igual que el infinito; una incógnita desconocida, manejada sólo por la filosofía, mientras que en la vida real debemos conformarnos con cifras muy inferiores. Y ahora, en compañía de Eliz, por primera vez se preguntó por qué de hecho no existía la satisfacción. Y supo, como quien ha dado con el rastro de lo que indaga, que tenía que buscar la respuesta por aquel camino. El cuerpo de Eliz respondía sin reservas a sus preguntas. Ella también era curiosa, no vacilaba, desconocía el miedo, obedecía diligente las instrucciones, era al mismo tiempo profesora y discípula, atendía a cada señal, no retrocedía ante los peligros, no conocía el cansancio, el pudor ni el asco. Su cuerpo tenía una fuerte afinidad con todo cuerpo vivo, también con el de Askenasi; ambos se saludaban como dos conocidos desde el primer momento, desde aquella primera tarde, cuando la puerta de la habitación se cerró a sus espaldas; sin estallidos de alegría jubilosa, con la confianza de los miembros de una misma familia y la intimidad que caracteriza a las personas afines. Askenasi también formaba parte de aquel «círculo de afinidades»; tal vez por eso se había fijado en ella en la escalera del metro y por eso ella le había dicho «*Venez*»; pero es posible que entre los miembros de la amplia familia física de Eliz hubiera también hindúes, sarracenos y alemanes; cualquier persona que llevara en su cuerpo la respuesta a una pregunta, formaba parte de su parentela. En el amor era generosa y desinteresada, como si no le importara derrochar porque todo quedaba «en familia». Para ella no existían horas reservadas al amor, la vida era una cita amorosa interminable que en ocasiones había que interrumpir brevemente debido a motivos externos. Askenasi sabía que si algún cuerpo podía darle la respuesta, ése sería el de Eliz. La aventura se había iniciado en una pensión con una mujer desconocida, y hasta ese momento él había entendido poco; después de tantas penurias —consideraba las penurias algo natural y las compartía con todas las personas civilizadas— había conocido a una mujer en cuya compañía pasaba menos penurias que anteriormente, y por eso no tenía ninguna razón especial para querer escapar de aquel encuentro; era eso lo que entendía, nada más. Pasaron meses antes de que empezara a sospechar que la aventura no era una habitación de hotel ni la satisfacción parcial que le brindaba Eliz; la aventura seguramente se iniciaría cuando el cuerpo ya no pudiera contestar a la pregunta que él no cesaba de formular ni siquiera cuando estaba entre los brazos de Eliz. Ella era una cicerone perseverante y lo había guiado hasta el límite del imperio del cuerpo, a través de selvas y precipicios; más allá no pudo llegar, se detuvo al bordear lo desconocido, dejándolo solo.

Eliz le brindaba todo lo que podía darle el cuerpo, con gestos naturales y pródigos, como quien no espera ni necesita agradecimiento. Hasta que un día Askenasi se dio cuenta de que, aunque ella le ofrecía mucho, no era suficiente. La respuesta del cuerpo era concisa e inequívoca, pero no lo expresaba todo a la perfección. Por eso, ya tan cerca de la meta y tras hacer grandes sacrificios para llegar hasta allí, se vio obligado a admitir su fracaso y abandonó a Eliz. Una tarde se marchó, igual que había llegado, con la misma indiferencia con que había dejado a Anna, sin dar explicaciones ni razones. Le asombró que Eliz encajara la separación con más pena y menos dignidad que Anna; que se comportara como una mujer despechada. Lo amenazó con que no tendría paz, que no encontraría la felicidad con ninguna otra mujer y que un día querría volver con ella, pero entonces sería tarde, y lo acosaba con amenazas infantiles, siniestras y agoreras, que Askenasi escuchaba indulgente, como si se tratara de los pataleos de una niña histérica, sin concederle mayor importancia. Durante una temporada vivió solo en uno de los barrios periféricos de la ciudad; más tarde volvió a dar clases, reanudó sus investigaciones y retomó las reuniones con sus amigos, que lo recibieron esperanzados, como si fuera un enfermo grave recuperado pero que aún puede recaer. No fue a ver a Anna y de Eliz no tuvo noticias en mucho tiempo. Durante semanas ni siquiera se acordó de su aventura. En una ocasión vio a Eliz en un coche, acompañada por un hombre que no conocía, y la saludó con un gesto cordial; se alegraba de veras al verla, como se puede alegrar alguien al ver a un amigo querido pero algo olvidado, con el que siempre da gusto encontrarse, pero al que luego no se recuerda durante semanas. Eliz correspondió a su saludo con una expresión altiva, actitud que a Askenasi le pareció pueril y le hizo gracia. Luego no volvió a verla durante meses y sólo se acordaba de ella muy de vez en cuando.

Unos meses después de su «ruptura» —fue el pequeño comité, el círculo de conocidos y amigos, la que puso dicho nombre al acontecimiento, con desenvoltura, como si todo lo que le sucede a uno pudiera encasillarse con facilidad: por ejemplo, «matrimonio», «aventura», «divorcio» y «ruptura», pero nadie hablaba de lo que había entre y detrás de aquellos estados—, una mañana, mientras daba clase, Askenasi sintió unos síntomas inquietantes: notó que no oía el texto griego que estaba leyendo en voz alta. La lección trataba sobre la historia de la antigua Grecia y en el aula había estudiantes mayores; estaba leyendo a Licurgo, el texto original, el pasaje sobre la inflación de la economía de Esparta, y de súbito se detuvo al notar que no oía su propia voz y tampoco entendía completamente el texto. Siguió leyendo a trompicones y mirando de reojo a sus alumnos, que lo escuchaban con interés moderado y expresión seria y benévola; al parecer no se habían percatado de nada. «Tal vez me he quedado sordo», pensó sobresaltado. Pero en ese mismo instante se cerró una puerta en el pasillo y oyó nítidamente aquel sonido insignificante; más tarde, en el aula alguien se sonó la nariz y entonces constató que los sonidos del cuerpo y los objetos los oía como siempre. Lo único que no oía era su propia voz y el familiar texto le suscitaba serias dudas: se acordaba de algunas palabras, pero la lengua, la lengua griega —que durante

mucho tiempo había considerado su segunda lengua mater-
na—, le parecía desconocida, como si leyera en persa, fluida-
mente pero sin entender nada... Pronunció unas palabras
de excusa, interrumpió la clase, abandonó el aula y se fue a
casa.

Vivía en un barrio ajardinado, casi a las afueras de la ciudad, en una casa solitaria, donde alquilaba dos habitaciones
amuebladas y adonde Anna le había enviado parte de sus libros y algunas piezas de mobiliario. Al llegar, abrió un libro
tras otro y empezó a leerlos en voz alta. Eran textos antiguos
y bien conocidos, y comprobó con asombro que aquella sordera interna cambiaba según el texto: al leer a Platón no oía
nada, pero cogió el periódico matutino de la mesa y empezó a
leer el editorial, un artículo grandilocuente sobre la misión
cultural de los colonizadores franceses, y oyó y entendió cada
sonido de aquel texto insulso. Más tarde se dio cuenta de que
no podía recordar el rostro y la voz de Anna, aunque le sonaba vagamente, igual que las palabras de Platón; pasó horas
tumbado en la habitación a oscuras tratando de recordar sus
rasgos, pero la imagen se le aparecía difuminada y borrosa.
A Eliz la recordaba sin esfuerzo alguno, en todos los detalles,
como si la viera y oyera; la recordaba con la misma fluidez con
que había entendido el artículo del periódico. Lo que sabía
y conocía se había disgregado en su interior, dividido en dos
partes: la materia conocida, Anna y Platón, habían ensorde-
cido, mientras que la materia desconocida, mediocre y superficial, la seguía entendiendo bien, con una especie de confianza
amoral. Durante una temporada vivió sumido en una indiferencia absoluta, en una inmovilidad pertinaz; dedicaba la mi-
tad del día a recorrer la ciudad, disfrutando de sus sonidos
como si lo hubiera dejado sordo una potente explosión y ya
sólo percibiera algunos de ellos, conversaba con las meretrices
de la calle, leía con avidez las noticias brutales de los periódicos. En su interior, la materia de los recuerdos se había dividido de la misma manera: una parte se había sumergido en la

penumbra de la sordera y la otra lo envolvía y chillaba a su alrededor con una crudeza estridente. Un día consultó a un médico, que se encogió de hombros. Aquel médico, amigo de la juventud, le habló con extrema franqueza: le dijo que no podía recetarle medicamentos y recomendarle «reposo», como solía hacer con el resto de los pacientes, con «la humanidad enferma»; la enfermedad de un hombre está relacionada directamente con su psique, y para ciertos «síntomas nerviosos» no existen medicinas, sólo el antídoto que produce instintivamente el organismo enfermo. Askenasi debía examinar su propia vida, tal vez había cometido algún error. Le habló con empatía, no como el médico al paciente, sino más bien afligido, como le habla una persona a otra aquejada del mismo mal. Le preguntó si no había pensado en volver con su esposa, y calló turbado y cabizbajo cuando Askenasi le explicó que no tenía sentido volver con Anna porque ya «no se acordaba de ella».

Aquella noche, unas horas después de la visita al médico, Anna se presentó en su casa; la había llamado el médico, o tal vez ni siquiera había hecho falta ninguna llamada. El hecho es que fue a su casa, entró con absoluta familiaridad en aquella habitación que veía por primera vez y encontró a Askenasi sentado en la penumbra; halló inmediatamente el interruptor de la luz y el cuarto de baño, se quitó el sombrero y el abrigo, se sentó junto a su marido en el sofá, tomó su mano entre las suyas y le habló sobre temas conocidos, de su hijita —a la que él sólo recordaba difusamente— y de que ella también se había mudado a una nueva casa.

Todo, tanto su presencia como lo que contó, le pareció gris y difuso; Anna se movía y hablaba, pero, como si se tratara de una película de cine mudo, todo permanecía gris a su alrededor, no veía sus colores y no oía su voz, incluso sus gestos parecían anémicos. Consideró natural que Anna estuviera allí, sentada a su lado, ahora que se había quedado sordo; en la realidad, en la otra realidad, la real, Anna seguía viviendo con él y tabiques artificiales como la distancia y el tiempo no le impedían saber de él. Askenasi cerró los ojos. Sostenía la mano de Anna —pero también le parecía una imagen, un fenómeno óptico y no un miembro de carne y hueso— y sólo oía la cadencia de las voces, el significado le llegaba de forma fragmentaria, desde lejos. Ahora veía a Eliz con claridad, y Anna tal vez había dejado de hablar. Eliz cogía un taxi que iba por una calle mojada por la lluvia, a la orilla del río; triste y pálida, con un traje gris que él conocía bien y las manos —enfundadas en guantes amarillos— en el regazo, la cabeza apoyada en el respaldo, de pronto quitaba el vaho de la ventanilla con una mano y se inclinaba para mirar la calle. El taxi se detenía en los alrededores de la torre Eiffel, en una calle donde Askenasi nunca había estado, y Eliz entregaba un billete al taxista, un billete de cincuenta francos. Askenasi se incorporó en el sofá y miró el taxímetro, antes de que el hombre lo pusiera a cero, y constató con enojo que Eliz había pagado el doble de lo que marcaba. «Tan exagerada como de costumbre», pensó y meneó la cabeza. Corría tras Eliz, pero ella ya subía en el ascensor; él subía por la escalera profusamente decorada de un edificio suntuoso; en la tercera planta ella entraba sin llamar en un piso cuya puerta estaba entornada y se cerraba tras ella. Askenasi llamaba con los nudillos pero no recibía respuesta; se quedaba un momento sin saber qué hacer, luego bajaba la escalera y caminaba de un lado a otro por la calle. Soplaba un viento frío. «Te vas a resfriar», oyó por primera vez claramente la voz de Anna, que se puso en pie, cerró la ventana y trajo una manta para cubrirlo. En la habitación contigua sonó el teléfono; Anna contestó y habló con alguien. «Qué *inútil* es todo esto —pensó, contrariado, Askenasi—. ¿Qué pretenden con estas llamadas? Qué *primitivo*…» Y se quedó toda la noche empecinadamente callado.

Anna volvía todos los días, pero ella tampoco hablaba mucho; en una ocasión dijo que lo sabía todo, que él no tenía que preocuparse, que ahora sólo debía ocuparse de sí mismo.

Le rogó que no volviera con ella, que aún no tenía sentido; más adelante sí, sería lo más conveniente. «Lo sé todo sobre ti —dijo—, como una madre sabe todo del niño que porta en su vientre, ambos respirando al unísono; y sé que ahora debes tener mucho cuidado.» Un día, hacia el atardecer, cuando Anna estaba de buen humor y hablaba sobre el futuro, Askenasi de súbito se incorporó y preguntó:

—Pero qué pasará conmigo si resulta que esto es un asunto personal… que está ligado a aquella mujer en particular, tanto la pregunta como la respuesta. ¿Qué pasará entonces?

Y Anna calló. Askenasi dirigió hacia ella la lámpara y examinó con detenimiento su rostro pálido.

—Entonces es que ya no reconoces el recto camino —dijo ella en voz queda, los ojos entornados—. Dios tenga misericordia de ti. —Se santiguó.

Askenasi no pudo contener la risa, porque nunca la había visto santiguarse. Anna lo miró con áspera turbación, se puso en pie y buscó el sombrero.

—Entonces estás perdido —la oyó decir cuando ya se marchaba por la puerta.

Nunca más volvió a visitarlo. Askenasi la esperó durante un tiempo, como se espera una carta. A Eliz sólo la vio dos veces más, siempre en aquel mismo edificio desconocido, en la puerta, al llegar o al irse; nunca entró en el vestíbulo. Un día decidió buscar la calle y el edificio; los encontró, pero en la entrada lo invadió el temor, se dio la vuelta y volvió a casa. Tardó en convencerse de que la «pregunta» y la «respuesta», por algún accidente fortuito e imprevisto, se encontraban en la misma persona, una persona a la que en realidad no amaba en especial —eso se decía a sí mismo—; una pregunta mal formulada y una respuesta incompleta, pero tenía que conformarse con eso. Y cuando sus amigos le recomendaron «tomarse un descanso» y, tal como correspondía a su personalidad, «pasar unas semanas en un lugar tranquilo», emprendió el viaje sin oponer resistencia. Seguía teniendo la esperanza de que tal vez las cosas se solucionarían por el camino; su error le parecía ridículo, lo veía como un accidente callejero, una humillante burla del destino, lo que le indignaba. «Es como si alguien hubiera emprendido una expedición en caravana, con armas y camellos, para ir a parar finalmente a la calle vecina», pensaba. En la estación, al salir el tren, se asomó por la ventanilla y entre la multitud buscó a Anna con una mezcla de inquietud y curiosidad. Pero no vio a ningún conocido. Entonces comprendió que nadie podría ayudarlo nunca más, que lo habían abandonado a su suerte y que siempre estaría solo.

«Ridículo», se repitió tranquilizándose cuando el primer acceso de dolor agudo remitió. Hipaba menos y se tapaba la boca con la mano. Luego consultó el reloj: sólo había estado acostado unos minutos. Le dolían los ojos, tal vez a causa del bochorno, y se frotó los párpados con la palma de la mano. Desde la pista de tenis oía el sonido apagado de la pelota y las risas de los jugadores. «Me hubiera gustado ver tantas cosas más... —pensó cansadamente—. China. Siempre quise ir a China. Me duele menos renunciar a la India.» Veía los lugares que hubiera podido visitar, las obligaciones aplazadas, como si hojeara un calendario. «Qué vergüenza —pensó y meneó la cabeza—. Por una mujer.» Lo asoló un lacerante sentimiento de humillación. «Esto ya lo he vivido antes, en alguna parte —pensó más tarde, y lo recordó con penoso detalle—: estoy tumbado en una habitación fresca y sombría, solo, con los postigos cerrados, a la hora que riegan los parterres, que sueltan un olor húmedo y blando a invernadero, mientras en el jardín unos desconocidos juegan al tenis y una ronca voz de mujer vocea los puntos en inglés.» Esperó y le complació oír, en efecto, aquella voz de mujer. «Ya he vivido muchas cosas —pensó satisfecho—. Casi toda la vida.

En realidad apenas falta algo...» Con leve satisfacción pensó que tenía el trabajo hecho, había cumplido prácticamente con todas sus obligaciones, había vivido como lo exigían la sociedad y las circunstancias, sólo después había seguido una vida distinta, se había orientado con los instrumentos del cuerpo, y ya no le quedaba nada más por hacer que buscar la respuesta a la pregunta de por qué había sufrido siempre de una forma tan vergonzosa, qué finalidad podía tener la Idea respecto al ser humano al infligirle tormentos tan humillantes y sin fin, y, más en general, por qué no logra uno encontrar la satisfacción. Aún le faltaba dar con la respuesta a esta pregunta. Consideraba degradante haber sucumbido de una forma tan ridícula, y en adelante tendría que vagar por el mundo en busca de la respuesta en otras mujeres, perseguir respuestas parciales en los libros, preguntar a otros hombres. «De poco me han servido los métodos», pensó con malhumor.

«Tal vez tenía que haber interrogado a Eliz con más paciencia o más insistencia, intimidarla, quizá —reflexionó—. Matarla, acaso.» Esta posibilidad lo desconcertó. Se quedó pensando si era una solución moral o inmoral que un hombre matara a la mujer a la que está atado y de la que no puede librarse. Intuyó que más que una cuestión moral, era simplemente de oportunidad y fuerza. «Pero ¿es capaz una mujer de dar una respuesta o no? —se obstinó—. Si no hay forma de alcanzar la satisfacción, que me suelte.» Pensó con alegría y alivio que Anna había asumido las consecuencias de su propia incapacidad y lo había dejado ir, aunque fuera en el último instante, y ya no tenía que preocuparse por ella. Eliz había eludido su propia responsabilidad. Askenasi pensó ahora en ella como en una desleal malversadora que, en la seguridad de ultramar, disfruta de los frutos de su felonía. «En casos así poco puede hacer la policía.» Pero si el problema no era la felicidad, ¿qué tenía ella que ver aún con todo eso? ¿Cuál era su responsabilidad? Él había procedido según las convenciones, se había hecho adulto, había cuidado su salud, nunca había deseado la propiedad del prójimo y había tratado de aclarar los conceptos a su manera. Sentía que había fracasado, pero que al mismo tiempo también había recobrado su libertad de acción; los cinco mil o diez mil años que había vivido la humanidad siguiendo las convenciones no habían dado el fruto esperado, y él, Askenasi, se había visto obligado a actuar por su cuenta y riesgo, dejándolas de lado, si no quería morir sin sentido ni propósito, como un cerdo degollado por el matarife, tal vez con menos propósito aún. Había comprendido que ser un héroe, morir por una causa, era un pretexto magnífico... Reflexionó. «Claro, nunca por una mujer, nunca por una persona, sólo por una causa...» Se frotó la frente.

Se había olvidado de formularle la pregunta a Eliz. «Quizá tenía que haberle sonsacado una respuesta a golpes. O destriparla, o hacerla pedazos.» La sed de aquella pregunta machacona no se aliviaba. Pero si el camino pasaba por el cuerpo, pensó descontento, ¿para qué tantos obstáculos artificiales? Para qué el dinero, para qué todos los preceptos y reglas, y lo que era aún peor: *¿por qué el propio cuerpo cometía pecado?...* ¿Por qué el cuerpo, si de verdad sabía la respuesta, en el último instante había callado, eludido la pregunta? El placer en sí sólo era un sonido, no la melodía entera. El cuerpo se reservaba muy bien su secreto, con celo y rencor, tentaba a iniciar nuevos experimentos, contando con que el otro se iría sediento y luego volvería por más. «Mentalidad de tendero —pensó con desprecio—. Regateo, beneficio.» El cuerpo nunca daba la respuesta completa, siempre se callaba algo, se mostraba reticente. Excitaba con un sorbo de placer a aquel que no podía conformarse con un refresco tan modesto, buscaba un olvido total o una vigilancia plena, sea lo que fuere lo que estuviera en juego o hubiera estado en juego alguna vez. «Será muy difícil —pensó absorto, como si calibrara la dificultad de un proyecto—. Ir a llamar a puertas desconocidas...

qué repugnante.» Aquella expresión le sorprendió: *llamar a puertas desconocidas...* No se acordaba de haberla utilizado nunca. Se incorporó como si hubiera oído una advertencia. Se acercó a la ventana: el paisaje flotaba en una calina grisácea y la isla aparecía como una mancha borrosa, sin formas nítidas. «Ahora que Eliz se ha ido, puedo preguntar a cualquiera. Incluso al portero. O a la rubia que se volvió para mirarme. La mujer de la habitación cuarenta y dos. *"Zwoundvierzig"* —oyó la voz de la mujer—. Es la habitación cuarenta y dos, uno se acerca y llama a la puerta. Una puerta desconocida.» Esbozó una sonrisa sarcástica. Cuidando de conservar la sonrisa, se colocó delante del espejo y miró con atención. En la infancia solía jugar a eso. Observó serio y severo los labios sonrientes. Encendió un puro pero no le apeteció fumárselo; lo colocó, encendido, sobre el cenicero y lo olvidó allí. Le pareció oír un chasquido. «Como cuando se cierra una pulsera.» Aguzó el oído. Una pulsera, un círculo regular. Un círculo que se cierra; también podían ser unas esposas. Pero ¿las esposas chascan al cerrarse?... No lo sabía, nunca había visto unas esposas. Se arrimó a la mesa, se sentó, temía que aquellas pocas señales vagas de pronto se difuminaran. «Son sólo palabras —pensó, y añadió con ironía—: ¿Sólo palabras? ¿Qué más hay? Palabras, *¿tan sólo eso?*...» Se concentró con mucha atención en aquellas pequeñas señales, tratando de no olvidar ninguna. «Llamar a puertas, puerta desconocida, *zwoundvierzig*, chasquido, pulsera, círculo que se cierra. Tal vez esposas.» Empezó a vestirse con lentitud. «El simple hecho de llamar a una puerta desconocida no me compromete a nada —pensó mientras se ponía la camisa con movimientos cuidadosos—. Señora, discúlpeme, *Gnädigste*. Me llamo Askenasi. Perdone, debo de haberme equivocado.» Empezó a silbar quedamente. «Así se prepara uno para una aventura, tirirí-tarará —canturreó en voz baja—. Una breve aventura pasajera. Estamos en un hotel, en la costa. En realidad siempre he soñado con algo así. Ya basta de asuntos enrevesados. Ya tengo cuarenta y siete años. Cuando uno está de vacaciones en un lugar tranquilo, y en el hotel una desconocida vuelve la cabeza para mirarte… Siempre quise experimentar algo así. Un agradable recuerdo de verano, nada más.» Se frotó las manos con gesto animado, desechó la corbata que había llevado durante la mañana y buscó otra, una de las que le había comprado Eliz. Se la anudó con destreza, dio un paso atrás y se contempló en el espejo. Perfecto. «A veces uno puede permitirse una breve diversión —pensó—. Me lo merezco.» Se guardó el pasaporte y la billetera en el bolsillo. «Hay que tener cuidado con las mujeres desconocidas —se dijo con sensatez—. Igual son unas aventureras. —Eso le chocó—. Pero para que haya una aventura se necesita una aventurera. Y un aventurero.» Ahora volvió a ver el círculo con toda claridad, todo estaba en su lugar: el pasillo de hotel, la puerta desconocida a la que llama el que va en busca de aventuras. Al aventurero lo detiene la policía y le esposan las manos. Las palabras se encadenan, se ajustan unas a otras, no hay que perder el tiempo amoldándolas; seguramente hacía tiempo que se preparaban para un gran momento, y cuando aparecieran, como las imágenes de un sueño, surgirían de pronto y cobrarían sentido, convertidas en imágenes y frases. «Pero ¿qué sentido tendrán?» Se detuvo en la puerta, con el sombrero y los guantes en la mano.

«Veamos, ¿cuál es el sentido de las imágenes? En primer lugar está el sueño, dentro del cual aparecen. Otro ámbito que se disponen a habitar. El significado de las palabras no es sólo lo que significan, sino el ámbito que iluminan… Uno se pone en marcha en la oscuridad iluminada por unas pocas palabras… —Y se puso en marcha lentamente; bajó la escalera silbando quedo—. Y delante de una puerta desconocida… —se detuvo; aguzó el oído pero no oyó nada, miró alrededor y estaba solo— llama con delicadeza. —Llamó a la puerta. Escuchó con el torso ligeramente inclinado, esbozando una sonrisa pícara—. Y acciona el picaporte… —Accionó el picaporte—. Entonces se oye un chasquido… —se oyó el chasquido del pestillo— y se cierra el círculo…» Entró en la habitación y cerró la puerta tras de sí.

Un mentiroso

Más adelante, el portero se empeñó en asegurar que ya eran las cinco pasadas cuando Askenasi se había marchado del hotel. Afirmó sereno que aquel caballero le había dirigido la palabra y habían sostenido una breve conversación, que el huésped le había comentado su intención de ir a la ciudad para comprar en la agencia de viajes un billete para el coche-cama. Askenasi no recordaba aquella conversación. El propietario de la fábrica de porcelana que había pasado la tarde jugando a las cartas en la terraza, se encontró con él mucho después, pasado el atardecer, en la puerta del hotel, y le llamó la atención «su extraña conducta y agitación». Hacía tiempo que no veía a nadie comportarse con tanto nerviosismo, dijo; y por eso mismo se quedó observándolo, y agitó la cabeza al verlo salir apresuradamente en dirección a la ciudad, «como si huyera», llevando un voluminoso bulto. Askenasi explicó en vano que sólo había estado unos breves minutos en la habitación cuarenta y dos, tal vez no más de ocho o diez, que luego había vuelto a su habitación en el piso superior, donde sólo había permanecido un momento, y antes de las cuatro ya había abandonado el hotel, que el portero no lo había visto salir y que lo había hecho sin equipaje y sin nada en las manos. No comprendía las preguntas irrelevantes, ni por qué trataban de convencerlo de que «lo confesara todo», por qué querían saber lo que había hecho en cada minuto cuando él ya había relatado todo lo importante; pero lo reconvenían cada vez que decía eso. No prestaron demasiada atención a su declaración. Las primeras investigaciones las dirigieron los gendarmes locales que, como suele ocurrir en esos casos, querían lucirse a toda costa y anotaron en las actas los detalles más insignificantes; naturalmente, dieron más crédito a cualquiera que a Askenasi. Todos los interrogados se daban aires de suficiencia, hablaban por los codos y conocían hasta los detalles más íntimos, por lo que, ante tal fervor innecesario, Askenasi se sintió herido y prefirió callar. «Como quieran —pensó—, si todo lo saben mejor que yo…» Pero se enfadó. La circunstancia de «haber escapado del lugar de los hechos» —tal como dijo con pompa el oficial de gendarmería a cargo de las pesquisas— restaba credibilidad a su declaración; en las actas figuraban detalles tan injustos e innecesarios como que habían tenido que perseguirlo y que lo habían apresado «mientras huía». Así pues, Askenasi, contrariado, contestó lacónicamente a las preguntas y al final se obstinó en callar por completo. También incluyeron en las actas el bulto que el industrial alemán había visto en sus manos —aunque nadie supo, ni entonces ni más adelante, qué contenía aquel paquete ni dónde lo habría escondido—, e igualmente dieron crédito a las palabras del portero, que juró haber conversado con Askenasi a las cinco de la tarde y que le había llamado la atención que éste estaba «tranquilo y de buen humor». (Los gendarmes también tomaron a mal su tranquilidad y su buen humor, como si fueran pruebas irrefutables de su crueldad y depravación.) El industrial alemán era de otra opinión: a él le pareció que Askenasi se había comportado de forma «extraña y nerviosa». Interrogaron a todos los que estaban dispuestos a decir que «habían notado algo», porque sorprendentemente daba la impresión de que Askenasi era uno de los hombres más conocidos de la ciudad, que la tarde en cuestión lo habían visto —e incluso hablado con él— varias docenas de personas; curiosamente, de pronto todos parecían conocerlo, haberlo visto aquella tarde en los puntos más diversos y distantes de la ciudad, de manera casi simultánea, prácticamente cada diez minutos en un lugar diferente. (Más adelante, Askenasi se sorprendió al constatar que tendría que haber recorrido toda la ciudad en bicicleta —de una punta a la otra— a gran velocidad para poder encontrarse con toda la gente que decía haberlo visto aquella tarde.)

La camarera entró en la habitación cuarenta y dos hacia las siete de la tarde y los gendarmes comenzaron a interrogar al personal al atardecer, alrededor de las ocho. A eso de las nueve, ya después de servirse la cena, fue cuando alguien mencionó espontánea y causalmente el nombre de Askenasi. Ningún huésped recordaba haberlo visto o conocido, pero cuando el portero advirtió al oficial, con inseguridad y balbuceando, que Viktor Henrik Askenasi, un huésped de la segunda planta, era el único que aún no había vuelto para cenar, los demás huéspedes empezaron a repetir ese nombre con convicción y firmeza, como si no comprendieran por qué no se les había ocurrido antes, cuando estaba más claro que el agua que el «autor de los hechos» no podía ser otro que aquel señor de gafas, pálido y con aspecto de enfermo del corazón, que con su «comportamiento sospechoso» ya había llamado la atención a todos desde el principio. El pastor protestante se esmeró más que nadie, describiendo a Askenasi como «una persona hostil y de mirada cruel», una persona que «por tener la mente ocupada en otra cosa» ni siquiera había reaccionado al buen intencionado comentario que le había hecho a la hora del almuerzo. Esta declaración también fue incluida en el sumario, al igual que el resto de los comentarios, y los gendarmes les concedieron especial importancia, ya que aquello probaba que Askenasi «había actuado de forma premeditada y que desde primeras horas de la tarde tenía pensado cometer el delito».

Él hizo un relato bastante más sencillo de los hechos. Tal como lo dijo, había permanecido unos ocho o diez minutos en la habitación cuarenta y dos; pese a que no podía asegurarlo con absoluta certeza, era muy poco probable que se hubiera quedado más tiempo. «No tenía nada más que hacer», declaró con «una crueldad llena de cinismo», y además todo había sucedido con mayor rapidez de lo que cabía imaginar. Luego había vuelto a su propia habitación, a la planta superior, para recoger su traje de baño; a la pregunta de para qué quería el bañador, repuso —para sorpresa general— que se disponía a ir a la piscina, puesto que «hacía un calor insoportable». Esta afirmación fue ásperamente juzgada, considerándola «una circunstancia agravante» y prueba de premeditación; el juez instructor dijo que, tras los hechos, sólo un delincuente depravado e incapaz de sentimientos humanos volvería tranquilamente por su bañador con intención de tomar un baño, como si en esas circunstancias fuese lícito ir a la piscina o, más en general, estar entre la gente. Consideraron especialmente reprobable que «antes de darse a la fuga» volviera a la habitación con ese fin; como si se tratara de una indecencia inaudita. Askenasi se defendía turbado, y más tarde se dijo que tal vez hubiera sido más decente vestirse de oscuro en vez de ir a buscar el bañador. Pero lo que los jueces nunca llegaron a comprender ni a creer era que en aquellas horas él «no había tenido la menor intención de huir», que no había sentido remordimientos, ni entonces ni después, sino que más bien lo había dominado el buen humor y se sentía aliviado, como quien tras grandes esfuerzos supera una dura prueba; tampoco era que se sintiera orgulloso, simplemente estaba satisfecho, pero de ninguna manera había sentido el impulso de salir huyendo. Finalmente, no llevó consigo el traje de baño —no se llevó nada en absoluto de la habitación; el industrial alemán seguramente habría sufrido visiones al verlo salir con un bulto—, y no se lo llevó simplemente porque aún no se había secado. Renunció al plan de bañarse y se contentó con lavarse las manos y refrescarse la cara con agua del lavabo. Paseó la mirada por la habitación y por un instante pensó en hacer las maletas, porque más adelante ya no tendría ocasión de hacerlo; el puro, que poco antes había dejado olvidado en el cenicero, seguía humeando y no se había consumido ni una cuarta parte: Askenasi insistió en este detalle como prueba de que no había pasado más de unos minutos en la habitación cuarenta y dos. Se acercó a su equipaje, pero recordó que de todas formas le quitarían sus cosas y que no valía la pena perder el tiempo recogiéndolas; la idea le alegró, como quien se libra de una tarea engorrosa, porque nunca le había gustado hacer las maletas. Buscó un pañuelo limpio, lo roció con agua de colonia y salió del hotel sin cruzar palabra con el portero. Fue directamente hacia la ciudad por el camino polvoriento, que a aquella hora sofocante de la tarde estaba totalmente desierto. Entre el hotel y la puerta occidental de la ciudad no se había encontrado con nadie conocido.

No había pasado más de un cuarto de hora desde que abandonara la habitación cuarenta y dos, y escasos minutos antes de las cuatro ya estaba en la plaza mayor de la ciudad, ante el portal del antiguo Palacio de la Gobernación. Le dolía la cabeza. «¿Qué toma uno en un caso así?», se preguntó pensativo. Pero no se le ocurrió nada y por fin decidió que «en un caso así», si uno tiene dolor de cabeza, lo mejor es tomarse una aspirina. El fuerte dolor lo había sorprendido por el camino, era seguramente efecto del calor sofocante y lo puso de mal humor, como quien por fin tiene un rato libre mas no puede disfrutarlo. Entró en la farmacia de enfrente, donde tomó una aspirina con un vaso de agua (según el relato del farmacéutico, lo hizo con «una tranquilidad indignante») y se despidió con «un saludo cortés». (En el juicio, el farmacéutico enfatizó lo del saludo cortés, como si fuera un fenómeno psíquico inusual y extraordinario, casi inexplicable; seguramente le habría parecido más comprensible que Askenasi, en vez de saludarlo con cortesía, hubiera empezado a arrojarle cuchillos, despedir fuego por la boca y romper a puñetazos las vitrinas del establecimiento.) El farmacéutico siguió con la mirada al extraño cliente, y lo vio cruzar la plaza mayor con «una lentitud asombrosa». Askenasi, en efecto, caminaba despacio porque le dolía la cabeza y esperaba que el medicamento surtiera efecto, y no tenía ni motivo ni ganas de correr por la calle, lo que tal vez hubiera causado un extraño efecto; pero ya en el primer interrogatorio se resignó a que todo lo que había dicho o hecho aquella tarde fuera «extraño» y «llamativo»; incluso haber comprado una aspirina y caminar despacio. Los testigos, también en ese punto, «veían con claridad meridiana» y lo sabían todo; no había nada que hacer, tenía que resignarse.

Por tanto, caminó a pasos notablemente lentos por una de las callejuelas estrechas que unen la plaza mayor con la iglesia dominica, disfrutando del frescor que exhalaban los gruesos muros de sillares aún no recalentados por el sol. Se detuvo ante el escaparate de una mercería, se quedó mirando los calcetines y botones, las cajas repletas de hilos y agujas, y se alegró de haber tenido la ocasión de verlo, ya que nunca había contemplado un escaparate así. Veía cada objeto, cada color y cada línea con singular nitidez, como si hubiera estado largo tiempo en la penumbra y de pronto hubieran encendido una lámpara invisible. Percibió objetos en los que nunca antes se había fijado, y le llamaron la atención fenómenos tan simples y cotidianos como un buzón, el letrero de una calle, una bobina polvorienta en el escaparate de la mercería, una cáscara de plátano tirada en la calzada, unas flores colocadas en un vaso de agua en el alféizar de una ventana…

Se quitó las gafas y vio el mundo en un tono más apagado, el perfil de los objetos se le hizo borroso, pero incluso así, sin anteojos, percibía unos colores más chillones, unas líneas más nítidas que en otras ocasiones, cuando miraba con las gafas puestas. A aquella luz repentina y deslumbrante que le provocó un leve dolor en los ojos, todos los objetos cobraron nuevas dimensiones; cada detalle se distinguía con mayor claridad. Miró alrededor, cauteloso y con los párpados entornados. Sí, el mundo se le presentaba en colores más brillantes y claros que anteriormente. «Será una ilusión óptica», pensó. Pero todo, hasta los muros de los edificios más antiguos y cochambrosos, el cielo y la calle, los cristales de las ventanas y el picaporte de las puertas le parecieron menos gastados, empapados del encanto de lo nuevo, como si entretanto los hubieran limpiado con esmero; todo lo que veía parecía resplandecer con un brillo festivo. Se asombró y se puso a observar las cosas con avidez y curiosidad, como si percibiera por primera vez el perfil real de la vida, como si hasta entonces una extraña miopía —que no corregían las gafas— le hubiera impedido observar los objetos, el conjunto de los objetos en su plenitud real, como si acabara de curarse de una enigmática enfermedad de la vista que hasta entonces ni siquiera había notado y que durante cuarenta y ocho años había sumido todo su entorno en la penumbra. «Así de bello es el mundo —pensó tras varios minutos de observación, con un entusiasmo infantil, casi exultante—. ¡Qué espléndido! Cuántos tonos, cuántos ángulos y cuántas líneas preciosas… A pesar de todo, aún nada ni nadie ha sido capaz de desgastarlas… Qué bello es todo esto.» Aquel júbilo, aquel placer hormigueante que le recorría el cuerpo, aquella sensación de calma, satisfacción y reconciliación que experimentaba sin cesar desde que saliera de la habitación cuarenta y dos, se completó ahora con el éxtasis, el grado superlativo de la percepción. Volvía la cabeza con lentitud, como si temiera abusar de la abundancia de impulsos al dejar que su vista abarcara demasiado a la vez, como si no fuera capaz de digerir la cantidad inabarcable de impresiones que lo invadían. El cúmulo incesante de impresiones lo mareó; se refugió en los detalles, de momento sin atreverse a mirar el cielo o el fondo de la calle, y posó cautamente la mirada en un canalón, en la mesa de una cafetería, en un rostro. Y, al igual que cuando en la incolora y vacía placa del microscopio

111

aparece con nitidez un mundo desconocido poblado de seres vivos, cuando cobra vida un mundo orgánico hasta entonces invisible, oculto en una sola gota de agua, y revela flora y fauna allí donde hasta entonces no se veía nada, y se vislumbra la vida, una vida indestructible y rica en formas, una vida que cambia y se multiplica allí donde hasta entonces sólo había una tosca materia árida e inerte, de la misma forma veía Askenasi ahora los minúsculos puntos de territorio que iba enfocando con su mirada. Se sentía exultante, por fin volvía a ver el mundo en que hasta entonces había vivido distraídamente, al que sólo había utilizado y al que consideraba sucio, manido y desgastado, sin haberle prestado la menor atención; y entonces recordó que en una ocasión ya lo había visto así, con esa frescura paradisíaca, mucho tiempo atrás, tal vez en la primera infancia, al sentarse en la cuna y mirar la lámpara o la mano que se agitaba ante sus ojos…

Ahora le dio la impresión de que no sólo veía los objetos y fenómenos con mayor nitidez y colores más vivos, sino también que los peatones caminaban más pausadamente, y que podía percibir el ritmo de los movimientos de una forma muy distinta. Recordó que antes las imágenes cinematográficas a cámara lenta habían ejercido en él un efecto similar, una mano que se movía con extrema lentitud, un sombrero que flotaba por el aire, cada movimiento y cada ritmo se descomponía en partes e incluso los sonidos se deshacían en fragmentos. «Vuelvo a ver y oír como antes», pensó. Se detuvo y cerró los ojos, aquella felicidad era inmensa, casi insoportable, la felicidad de poder ver el mundo, oírlo y comprenderlo de nuevo, como si acabara de nacer entre aquel sinfín de maravillas. «Cuánto me había aburrido —pensó tristemente—. Estaba sentado en la penumbra y me aburría. Qué bello es todo esto…» Se apoyó contra un muro y de súbito levantó la mirada al cielo, resuelto y con una curiosidad escalofriante, como quien tiembla ante la posibilidad de ver algo maravilloso que le brindará un espectáculo extraordinariamente bello y anhelado desde hace tiempo. «¿Cómo es el cielo? —pensó al alzar la mirada—. Ya no me acuerdo de su color...» El cielo parecía líquido, ni azul ni blanco, y Askenasi lo observó con los ojos bien abiertos, como si por fin pudiera permitirse ese lujo, y se fijó sediento e impotente en el infinito incoloro que se extendía sobre él. «Hasta ahora no he hecho más que leer el periódico —pensó con enojo y vergüenza—, nunca antes había mirado al cielo, me había sumergido en periódicos, diccionarios y revistas...» Sacudió la cabeza. Ya no podía aburrirse ni un minuto más, los días que le quedaban los viviría con plenitud, tal vez ni siquiera le quedara bastante tiempo para ver el inmenso mundo que estaba a su disposición... Caminaba despacio, a cada instante lo detenía una multitud de curiosidades. «Antes sólo me fijaba así en los objetos expuestos en museos», pensó. Por detrás de un canalón salió una rata que desapareció con agilidad en el resquicio de la ventana de un sótano. Askenasi nunca había visto una rata desde tan cerca y se le escapó un grito de júbilo. Supo que tendría muchísimo que hacer, nada menos que percibir el mundo que hasta entonces no había conocido en realidad, sólo de oídas, a semejanza de un ciego que recaba información sobre los colores y la forma de los objetos. La realidad era mucho más simple, pero al mismo tiempo más densa y sustanciosa de como la había imaginado desde la penumbra. Llegó al mercado tambaleándose aturdido.

Vagó entre frutas, pescados y carcasas de animales. De vez en cuando lo detenía un olor desconocido y caminaba entre los tenderetes, husmeando hasta dar con su origen, alguna hortaliza o pescado que nunca había visto. «Sirven el almuerzo y quitan la mesa —pensó—. Hasta ahora me había conformado con eso. Pero a partir de ahora no será tan sencillo.» Se inclinó sobre ciertos animales marinos y, sin prestar atención a los vendedores, se quedó mirando los ojos abiertos y acuosos del calamar, que incluso así, muerto, reflejaban el resplandor del cielo y el rostro de Askenasi. «Qué amable

—pensó emocionado—, por un instante conserva mi rostro en este diminuto espejo muerto… Todo un detalle por su parte.» Sintió que no estaba del todo solo: los calamares muertos seguían enviándole señales de vida, las plantas lo llamaban con su aroma, lo rodeaba el encanto de la afinidad y lo conocido.

«He estado tremendamente lejos —pensó con inquietud—. Por fin ha llegado el momento…» En un tenderete del extremo del mercado de frutas vendían rosas, jazmines y grandes y tiernas ramas de mimosa. «Debo ir con cuidado», se previno, como si desconociera el efecto de aquellos potentes narcóticos. Debía estar atento si no quería emborracharse al momento y empezar a bambolearse y canturrear. Se acordó de Eliz, capaz de emborracharse en cuestión de segundos, gritar y alegrarse con todos los síntomas de la ebriedad, aun antes de probar la bebida que le habían servido. «La embriaguez es más bien una aptitud que un efecto —pensó ceñudo, como si por fin hubiera comprendido un sencillo secreto—. Es una aptitud, igual que la música. Un día, bastante tarde, uno se da cuenta de que tiene la voz muy bella y empieza a cantar… Y otro día uno se da cuenta de que tiene talento para la embriaguez…» Paseó con cautela entre los floreros, mirándolos con atención pero sin acercarse demasiado, como si aún no supiera si podría soportar estímulos tan intensos ni qué efecto ejercerían sobre él. Compró una pera suculenta, amarilla como la mantequilla, y la mordió allí mismo, en medio del mercado: el jugo de la fruta le corrió por la barbilla y le salpicó la ropa mientras saboreaba lentamente aquella sustancia fragante y exquisita que hasta entonces no había conocido… «Cuánto placer de pronto…», pensó agradecido. Tiró el corazón de la pera, se limpió las mejillas con la palma de la mano y correspondió sonriendo a la mirada asombrada del vendedor, que no comprendía qué le había pasado a aquel elegante caballero, por qué le había causado tanto júbilo una simple pera y por qué se la había comido en medio de la plaza. Reunió las monedas que llevaba en el bolsillo y se las tendió al vendedor, que abrió la mano con recelo y observó desconcertado la inusual propina…

—Una pera excelente —repitió Askenasi varias veces, animado y en voz alta, hasta que el hombre comprendió por fin, esbozó una sonrisa y se guardó el dinero en el bolsillo.

«Se creerá que estoy borracho —pensó Askenasi, satisfecho—, que me he emborrachado en pleno día y voy por el mercado despilfarrando el dinero.» Caminaba con pasos inseguros y ya había llamado la atención de la gente. «He de tener cuidado —se dijo—, aún no me he habituado y me mareo enseguida.» Se estiró, y como notó que la gente lo observaba —no con hostilidad pero sí con extrañeza e inquietud—, empezó a andar con pasos aparatosamente lentos, adoptó una postura seria y continuó su camino con la cabeza inclinada para que la gente que venía de frente no lo viera sonreír.

La ciudad se reanimaba lentamente a aquellas horas más frescas. La temperatura había bajado de forma brusca, como si hubiera caído una bruma, una niebla tibia, y Askenasi sintió en las manos y la frente la humedad de un sudor frío. Las contraventanas fueron abriéndose una tras otra en las plantas superiores y los comerciantes plegaron los toldos. En la plaza mayor apareció gente paseando, parejas que se dirigían hacia la puerta oriental, y en la terraza de una cafetería se oía un vals. Dirigió sus pasos hacia la música. Se detuvo delante de una agencia de viajes, recordó borrosamente que poco antes había pensado ir allí para comprar un pasaje de coche-cama y volver a París, pedirle perdón a Eliz y vivir con ella, con la única mujer que para él significaba la vida… Observó los anuncios de la agencia con ceño, como si le importunaran enojosamente justo en la primera hora de felicidad de su vida. «No, gracias a Dios, ya no volveré a viajar nunca más», decidió con triunfal satisfacción. Viajar, lidiar con mozos y botones, lavarse las manos en los aseos del tren, sucios y pringosos de hollín, llegar, llamar por teléfono, reiniciar el pesado y complicado culto de la «felicidad» en torno a Eliz, ganar dinero, dar clases, conversar con gente famosa y elegante... Desechó con un simple gesto y para siempre todo aquello tan pesado y superfluo que lo había separado permanentemente de la verdadera felicidad y satisfacción, de aquel estado de ánimo cuyo dulce hormigueo sentía «desde aquel momento». «Nunca me ha gustado viajar —pensó satisfecho—, por el camino me aburro y el tren me cansa. En general, nunca me he sentido bien en ninguna parte. Ahora sí. —Se frotó las manos—. Ya no tendré que viajar nunca más. —Lanzó una mirada burlona y despectiva a los anuncios que invitaban a Escocia y África—. Ya sólo tendré que vivir.» Y siguió su camino hacia la cafetería.

Quería escuchar la música desde cerca y ver el mar —la atracción de ambas cosas, la música y el mar, le parecían una misma cosa—. «Mientras me dejen vivir», pensó y apretó el paso. Sabía que no le quedaba mucho tiempo, que pronto tendría que soportar interrogatorios pesados e incómodos, que lo molestarían, que no lo dejarían moverse con libertad y que tal vez incluso lo matarían. Aquella posibilidad lo asombró sobremanera. «Claro, es lo que se suele hacer en estos casos... —reflexionó mirando en derredor—. Si uno encuentra por fin la satisfacción, la sociedad se defiende.» Se sentó en la terraza y con la mirada distraída buscó el mar, pero la gente que iba y venía le impedía verlo. Las parejas se inclinaban sobre las mesas, juntaban los rostros, cuchicheaban. «Eh, chicos, no es tan sencillo —pensó Askenasi, divertido y con magnánima ironía mientras observaba, con la superioridad indulgente del iniciado, a las parejas que se cogían de la mano y buscaban la mirada del otro—. De verdad, la cosa no es tan fácil, jovencitos. Sería demasiado sencillo alcanzar la felicidad de una forma tan cómoda: miradas, palabras, caricias, besos y lo que después se hace en la cama, siempre a medias, deteniéndose en el último instante...» Y de pronto lo comprendió. Llamó al camarero para que le sirviera cualquier cosa, no quería que nadie lo molestara.

«Al ser humano no lo salva la bondad», pensó atormentado, haciendo un gran esfuerzo para arrancar cada palabra del conglomerado al que toda palabra esta pegada, adherida, saturada de matices parásitos que la despojan de su sentido original y su fuerza vital, dando cuerpo a la sustancia ancestral, la lengua. Ahora había que limpiar cada una, separarla de las demás, desinfectarla. «Al ser humano no lo salva la bondad —se repitió con extrema lentitud— sino el pecado.» Buscó su agenda y con bellas letras de colegial —no con la escritura rápida, similar a signos de taquigrafía, que solía utilizar— escribió cada palabra con sumo esmero. Se guardó la agenda en el bolsillo interior y lo abotonó, como si custodiara un gran valor y temiera que pudieran robárselo. «No debo olvidarlo —pensó, pero como no lo consideraba probable, añadió para justificarse—: Un día de éstos pueden matarme o puedo volverme loco.» De todas formas, lo tranquilizó pensar que las palabras sobrevivirían, independientemente de lo que a él le ocurriera. El camarero le trajo un refresco y Askenasi rechazó con un gesto aquella «bebida artificial» —fue la expresión que se le ocurrió—. «Es algo inofensivo pero pertenece a aquel otro mundo, al mundo de los viajes, de Eliz, de las convenciones, de las fiestas y los barcos de vapor… No lo necesito», decidió. Sintió una necesidad perentoria de no tocar nada que fuera producto «de aquel otro mundo» en el poco tiempo que aún le quedaba, y con un gesto de rechazo metió las manos en los bolsillos.

Le daba lo mismo si el poco tiempo que aún le quedaba sería un instante o unos días; como en sueños, disponía del tiempo a su antojo, podría vivir toda una vida en un solo instante si quisiera o si fuera imprescindible, pensó. Pero no le pareció que aquello, la confesión y la sociedad dispuesta a defenderse, fuera tan urgente. Trató de analizar la situación desde su punto de vista: en medio de la plaza había un policía tocado con un casco blanco colonial, que podía llamarlo en cualquier momento, pero sólo si tuviera mala intención le crearía problemas. «Tal vez un juez que se empeñe en buscarle tres pies al gato —pensó—. Esto es, sin duda, un asunto privado. No pueden entrometerse en todas las historias de alcoba. Son asuntos entre hombre y mujer, Dios mío… cuántas complicaciones. En fin, no pueden inmiscuirse para nada.» En ningún momento se le ocurrió mantenerlo en secreto si se lo preguntaban; lo interrogarían sin tacto ni inteligencia, y supuso que en un entorno menos bárbaro —por ejemplo, en Inglaterra o China, donde la gente aún respetaba la vida privada y más que nada los asuntos íntimos entre hombre y mujer— nunca lo acosarían por asuntos tan insignificantes. Era poco probable que el sistema judicial se pusiera en acción cada vez que los destinos de un hombre y una mujer se cruzaban. Haría falta una organización monstruosa para ello y los tribunales no darían abasto… «No, esto es realmente un asunto privado —se reafirmó—. Tal vez la sociedad pueda desaprobar las circunstancias, pero el hecho en sí no le incumbe a nadie.» Miró alrededor con aire satisfecho. Las parejas seguían cogidas de la mano y sonriendo, con los hombros pegados. «Eso no es más que cháchara —pensó Askenasi—, no es más que la superficie. Durante cuarenta y ocho años yo también me he quedado en la superficie. Creía que con besos, amor y abrazos se podía conseguir algo. Pero no es así, no se puede… —Suspiró pesaroso—. ¿Habrá mucha gente que llegue hasta el punto al que he llegado yo? —se preguntó intranquilo—. Seguramente no; las personas se conforman con lo superficial, con los símbolos convencionales que pueden intercambiar con el otro sin correr peligro, con una pequeña muestra, y luego siguen sedientos toda la vida… Es cuestión de temperamento», pensó, pero al momento se indignó, porque la definición le pareció extremadamente frívola. No, no se trataba en absoluto de temperamento, sino de una cuestión de vida o muerte; era simplemente la respuesta a la pregunta de si existía satisfacción, o sea, si tenía sentido sufrir. «Yo lo he probado todo —trató de justificarse—. A Anna le conté mis sueños, incluso los más horribles, como el de los dientes caídos y aquel otro en que me embistió un caballo, me apoyó las patas en la espalda y me mordió la cara… Más que eso ya no se puede contar. Y con Eliz también lo hablamos todo, todo lo que puede hablar el cuerpo… Pero en conjunto no era más que cháchara.» Recuperó imágenes perdidas en el tiempo y el espacio. Vio su primera juventud, sus primeras mujeres, las amantes ocasionales que le habían hecho saborear los placeres simbólicos del cuerpo, y recordó aquellos momentos vividos entre los brazos de una u otra, al borde de la inconsciencia pero esperando aún que se produjera algo más… ese algo que hubiera dado sentido a aquellas ingratas prácticas, a las palabras, a las miradas, a las caricias, a los anhelos ardorosos, una última palabra, una sola palabra que respondiera a las preguntas que se hacían los cuerpos recíprocamente. Pero aquella palabra nunca llegaba. De pronto le vino a la cabeza una pelirroja que había conocido en Grenoble, donde había pasado sus años de estudiante hacía ya mucho tiempo, tal vez treinta años: sintió el aliento sano y cálido de sus labios jóvenes, el retorcerse de su cuerpo esbelto entre sus brazos. Se habían reunido por la tarde; tras las persianas medio bajadas, la luz del sol bañaba los plátanos, por las rendijas se filtraba una luz dorada hasta un rincón de la habitación… Estaban acostados en el suelo, desnudos, casi inconscientes; él debía de tener unos dieciocho años. Los pies de la joven yacían sobre su pecho; así descansaban después de hacer el amor, desvanecidos largo rato. De pronto él se había arrodillado ante ella y la había zarandeado con las manos, suplicándole: «Habla, dímelo de una vez…» Ella recobró la conciencia lentamente y se echó a temblar antes de romper en sollozos; permanecieron los dos de rodillas en el suelo, delante de la cama, uno frente a otro, las manos juntas como si rezaran, y ella sollozaba convulsivamente, con una expresión de culpa, delirante, lamentándose casi en éxtasis: «No lo sé... No me acuerdo...» Aquellas palabras lo habían tranquilizado. «Al menos dice la verdad», pensó en aquel momento. Más tarde, como Adán y Eva tras el pecado original, con la cabeza baja y tiritando por la desnudez, se sentaron en el borde de la cama, se cogieron las manos y hablaron en voz baja. Él le pidió que recordara, que lo intentara al menos, que cerrara los ojos; era imposible que lo hubiera olvidado.

Él era un hombre, durante milenios se había ocupado de otros asuntos, había conquistado el mundo y se había dedicado a la contemplación filosófica, nada tenía de extraño que se hubiera olvidado de *aquello*. Pero la mujer no tenía otra obligación, siempre se había ocupado de aquello, prestaba atención y recordaba; que se pusiera a pensar, se acordaría seguramente. Y más tarde, como la joven seguía callada, desconsolados se arrojaron nuevamente uno encima del otro; si alguien los hubiera visto habría pensado que se trataba del éxtasis del amor; pero ¡qué movimientos más extraños los del amor! ¿Qué otra cosa puede ser ese morderse, apretarse, sofocarse, ese desesperado golpear con puños, uñas y dientes en una puerta cerrada, esa furiosa búsqueda en un cuerpo extraño, qué otra cosa puede ser —si alguien lo observara desde fuera— que una gran manifestación de cólera, un castigo, una rendición de cuentas?

«¿Que éstos se aman? —podría preguntar con asombro un recién llegado de otro planeta en presencia de una escena "amorosa"—. Entonces, ¿qué se harán cuando se enfaden?» En efecto, es como si uno le exigiera algo al otro, estrangulándolo, desgarrándolo, mordiéndolo, penetrándolo, acosándolo con gritos y gemidos: «¡Dímelo!... ¿Dónde lo has escondido?... ¿Por qué no lo dices?... ¿Por qué callas?» Los gestos del amor deberían ser más tiernos y cariñosos; así sólo se pelean dos bestias que luchan a vida o muerte por un resto de carroña... Encendió un cigarrillo. La gente se estaba dispersando y entre dos mesas, más allá de la barandilla del muelle, surgió el mar. La música acabó y los músicos guardaron sus instrumentos en los estuches, las parejas se cogieron del brazo y emprendieron el camino a casa. «Muy bien, marchaos a casa —pensó Askenasi y, como si hubiera llegado a un puerto seguro y hubiera comido del árbol de la ciencia, apoyó los codos sobre la mesa y siguió con la mirada a las parejas que se alejaban, mientras exhalaba anillos de humo—. Idos a casa, a la cama y a la mesa, seguid saboreando, gota a gota y con prudencia, el néctar de la felicidad… No obstante, queridos amigos, seguiréis sedientos. La satisfacción no se compra barata. Nadie quiere dar nada, todo el mundo sólo quiere recibir… ¡faltaría más! —Rió satisfecho—. Se van a casa, encienden y apagan la luz, se acuestan en la cama, se abrazan y luego esperan el milagro… ¡menudas figuraciones!» Cada vez le parecía más probable que la sociedad no desaprobara su proceder; tal vez sólo le impusieran una multa, unos cuantos francos, o un par de días de cárcel, como cuando uno pisa el césped o atropella una gallina. «Es imposible que no lo comprendan —pensaba confiado— *cuando cada movimiento conduce precisamente a esto…*» Hasta un juez parcial tendría que aceptar ese argumento. En caso de que exigieran una «reconstrucción de los hechos», muy bien, manos a la obra, que se levantaran de sus sillones y fueran a ver con sus propios ojos a un hombre y una mujer copulando. ¿Cómo podrían malinterpretarse los gestos del amor? ¿Qué otra cosa puede ser ese ataque, esa rebelión de los cuerpos, más que una rendición de cuentas y una reivindicación? Y así como al ladrón lo linchan en medio de la calle, del mismo modo el amante trata a su víctima… Incluso las palabras que indican la intención, las palabras del amor, no hacen más que atacar, herir, hostigar. Pensó que otros muchos antes que él, e incluso él mismo —antes de *aquello*—, habían llegado al límite: sus manos acariciaban el cuello de la mujer, susurraban palabras sin sentido, sus labios y dientes habían sometido la otra boca a un duro interrogatorio, pero aquel vértigo, aquel ansia, aquel tremendo ímpetu que arroja a la orilla opuesta, nunca había llegado: en el último segundo se había echado atrás, se había conformado meramente con el placer y el gozo. Pensó en cientos de millones de parejas de enamorados, en generaciones enteras de amantes que a todas horas del día y la noche se interrogaban con amargura y desesperación, muchos agarraban incluso la fusta, o abandonaban a la mujer y buscaban refugio en los de su mismo sexo, deambulando como dementes entre citas amorosas. «Al final deben de sentirse extremadamente agotados —pensó con profunda lástima—. La mayoría se agota tanto que incluso muere…» No podían castigarlo *por eso*; tal vez lo premiaran, tal vez lo aplaudieran y lo recompensaran con grandes honores, y de pronto la vida cambiaría y renunciarían gobiernos enteros y se solucionarían los problemas de las nacionalidades; pero en cuanto se le ocurrió, se dijo que no podía aceptar premios ni honores y evitaría todo homenaje. Sonrió con modestia y miró el suelo con los ojos entornados, como si ya hubiera llegado el momento de rechazarlos. «Siempre confié en que no tendría que hacerlo —pensó con tristeza—. Lo he probado todo… He leído muchísimo, y una vez hasta lo intenté con un hombre.» Evocó la grotesca escena en todos sus detalles; había sucedido varios años atrás en Berlín, adonde había viajado por motivos laborales. En un local nocturno de dudosa fama lo había abordado una mujer joven, una chica rubia vestida de seda verde; con sus dedos largos y suaves había apretado la mano de Askenasi por debajo de la mesa y le había suplicado que la acompañara. Él no supo con certeza si aquella joven, si es que era tal, era también hermafrodita. No obstante, al pagar y salir del recinto abrazado a la «chica» sintió el mismo vértigo que en ocasiones experimentaba en los momentos críticos del acto sexual: tal vez ése era el camino, sólo faltaba una palabra, un gesto, y una ola cálida lo arrastraría a una orilla más feliz. Al final, a la cruda luz de la habitación del hotel, tras la tenue luz del local y la penumbra del taxi, la «chica» reveló su secreto: se desvistió lentamente con gestos afeminados y resultó que las sedas ocultaban a un joven cerrajero en paro y obligado a travestirse. Askenasi lo miró con indiferencia, no sintió asco pero tampoco mucha atracción; la escena le pareció triste y ridícula, y despidió al mozo desempleado con unas palabras piadosas y dándole algo de dinero. Aquello no había sido más que un camino, una señal, uno de los innumerables senderos que lo conducían hacia la inescrutable e inasequible meta. Durante mucho tiempo había confiado en los hijos, en la «continuidad de la vida», en el gran lema de la «fecundidad», pero unos años después de nacer su hija tuvo que admitir que la niña no los había ayudado, y Anna y él seguían viviendo con la misma expectativa y la misma tensión que antes del nacimiento de la criatura. Dejó unas monedas sobre la mesa y se puso en pie.

El sol aún brillaba sobre el monte con una luz diáfana pero fría, como un objeto metálico; las casas y los objetos destacaban entre la fría luz con la solidez y rigidez gelatinosa de una materia sacada del crisol de las horas más cálidas del día; del mar se había levantado una brisa que barría el polvo de las calles. Se acercó al policía y lo miró severamente a los ojos. El hombre, que era fornido, no soportó aquella extraña mirada y tuvo que volverse turbado y alejarse unos pasos. Askenasi se quedó en la esquina inmóvil y desafiante, mirándolo con expresión inquisitiva. «¿Qué es lo que custodias? —le preguntó sin mover los labios—. ¿El orden?… ¿Es que no te han dicho que el orden sólo es un aspecto de las cosas? El orden, la conexión, es una de las orillas, tal vez el día; pero ¿qué hacer con la otra, con la noche, que forma parte de ella y sin la que no hay vida y donde se descompone todo lo que el día ha ensamblado y construido? —Miró alrededor—. Las casas —pensó con lástima y se encogió de hombros. Las casas parecían mantenerse erguidas con indecisión, con una especie de torpe coherencia y estabilidad; detrás de las ventanas la gente trasladaba objetos de un sitio a otro, poniendo las mesas para la cena—. Como si alguien se preocupara por hacer la cama en el camarote de un barco que se hunde», pensó. Pasó por delante de una iglesia y decidió entrar.

En el altar lateral, una mujer tocada con un pañuelo colocaba un cirio ante la imagen de san Antonio de Padua. «No puede ser tan fácil», pensó con crudeza Askenasi al pasar por su lado. Se detuvo en la penumbra y juntó las manos con gesto maquinal. La luz de las velas rasgaba apenas la penumbra de las tres naves; tras el altar mayor, la luz del claustro se introducía a través de una puerta baja y entornada; por lo demás, los muros vetustos destilaban una oscuridad húmeda y artificial. Se dirigió hacia la luz y se detuvo ante el altar mayor, casi por cortesía. Se santiguó sin querer, al igual que se descubre uno en la calle al ver a un conocido de alto rango, de quien se ignora si le agrada nuestro saludo o no. Tres amplios peldaños recubiertos de terciopelo conducían al altar, cuyos retablos representaban la Piedad, obra de un pintor desconocido. («Escuela toscana mediocre», dictaminó el antiguo y docto Askenasi.) En el retablo derecho aparecían unos soldados romanos armados con lanzas y mostrando indiferencia profesional; a la izquierda, mujeres retorciéndose las manos, y en el centro la madre con el rostro desencajado por el dolor, abrazando un cuerpo de hombre desnudo y torturado. «Sí, sí», pensó Askenasi, como cuando uno ve algo desagradable y no se atreve a alejarse por no herir al otro, entorna los ojos con compasión y agacha la cabeza, aunque en realidad preferiría protestar y gritar.

«Claro, es natural», pensó enseguida. Levantó la mirada con cautela y pudor, y examinó aquel cuerpo idealizado hasta en su tormento, sólo cubierto con un estrecho fajín.

—Askenasi —murmuró luego en tono confidencial. Miró en derredor.

La mujer que hacía unos instantes rezaba ante la imagen del altar lateral, atravesaba ahora el vano oval de la puerta; antes de salir del templo se volvió y se santiguó varias veces.

—Viktor Henrik Askenasi —repitió en voz más alta, pero aún turbado, pese a encontrarse finalmente solo—. Residente en París. Cuarenta y ocho años de edad. Católico romano. Profesor de Griego y Lenguas de Asia Menor en la Escuela de Estudios Orientales. Casado, padre de una niña. —Y levantando los ojos con aire socarrón, susurró con tono afectado—: Señor, ten piedad de mí.

De pronto algo lo estremeció. Se levantó y se sacudió el polvo de las rodillas, se irguió y elevó teatralmente la cabeza.

—Uno de estos días tenemos que hablar —dijo altivo, con voz enérgica y desafiante. Fijó la mirada más allá del altar, en la penumbra—. Pero éste no es el sitio adecuado. Aquí se interpone algo entre nosotros… —Hizo una pausa y se preguntó: «¿Qué es lo que se interpone?» Sentía el obstáculo, pero le costaba definirlo. Hasta que de pronto se dio cuenta: «La religión. La religión es lo que se interpone entre nosotros. Está claro que éste no es un sitio adecuado.» Y en tono exigente, casi a gritos, dijo—: Tenemos que hablar con urgencia en alguna parte. —Sus palabras reverberaron en la nave, por lo que bajó la voz y añadió en tono confidencial—: No me queda mucho tiempo.

Rodeó el altar a paso rápido, buscando la manera de eliminar aquel obstáculo que se interponía. Llegó a la puerta baja que se abría tras el altar mayor; que estaba entornada y filtraba la tibia luz de la tarde; desde el umbral vio el jardín del claustro, los arcos que conducían al refectorio, la fuente circular en medio del patio. Sobre las columnas de mármol de los arcos extendía sus brazos una enredadera y del pequeño jardín que había en el patio cuadrado, alrededor de la fuente, rezumaba el aroma de la tierra recién regada y una fragancia a invernadero de flores tropicales. En todos los surcos de aquel jardín exuberante y recargado brotaban flores, y al borde de los parterres se alzaban palmeras y cactus amarillos que parecían guardias armados con grandes espadas. Alrededor, los muros del monasterio y el templo cerraban el jardín en un cuadrado regular, en los ventanucos de las celdas había macetas y el azul grisáceo del cielo cubría el patio, sin nubes y rígido, como un tejado de cristal. No vio a nadie, inspiró con avidez el aire húmedo y aromático y meneó la cabeza. Y de repente, como si hubiera descubierto a los monjes practicando algún vicio oculto, pensó malicioso: «Mira por dónde. Claro, así, respirando estas fragancias, no ha de costar mucho renunciar al mundo… Vaya vaya con estos ascetas», y se echó a reír. Pensó que todo estímulo ofrecido por el mundo tiene un mismo origen y un mismo fin. «Si alguien se tapa los oídos y observa una escena lujuriosa con los ojos bien abiertos, entonces, ¿no comete pecado? ¡Qué astutos!» Respiró el aliento denso de la tierra y las plantas, el aroma claramente sensual que rezumaba el jardín recién regado, el olor a transpiración húmeda y sensual de la vegetación, y agitó la cabeza. El silencio que inundaba el jardín y que los gruesos muros custodiaban, lo llenó de añoranza y envidia. «Tal vez me he equivocado —pensó asustado—. Tal vez también existe esta paz… la renuncia, el silencio, la reconciliación. —Miró alrededor horrorizado—. ¿Y qué podría ocurrir si me he equivocado? ¿Si no tengo razón, si simplemente he sido impaciente o, aún peor, cobarde y codicioso?» Caminó por debajo de los arcos; aquel jardín y aquellos muros se mantenían intactos desde la Edad Media, y su silencio estaba impregnado de los secretos de cientos y cientos de vidas, un silencio profundo, saturado del misterio de personas que no buscaban «soluciones», que simplemente se adaptaban a un marco preestablecido y seguían con su vida de un modo u otro… Sintió nostalgia, envidia y miedo. Miró los ventanucos de las celdas que sólo dejaban entrar una gota de aroma y color del mundo exterior, y admiró aquella jungla exuberante de pocos metros cuadrados, que le pareció un símbolo, como una flor seca en un libro de oraciones que recuerda la flora terrenal. «No pueden tener razón —pensó con obstinada esperanza—. Simplemente son débiles para vivir en el mundo, para actuar. Se ocultan tras estos muros…

¡unos muros ciertamente gruesos!» Observó el noble diseño de las bóvedas de cañón; los monjes, a la manera de jardineros japoneses, habían construido con guijarros un entramado de senderos por esa parcela diminuta, y en las cuatro esquinas del jardín había bancos decorados con cabezas de león. Askenasi no alcanzó a entender de qué reservas se nutrían entre tanta piedra los cenadores, los parterres y toda aquella fecundidad exagerada. Los ventanucos de las celdas parecían mirar más hacia el interior que al jardín… «La práctica de quinientos años —pensó con desdén—. Metodología. Los hindúes saben cosas más extravagantes.» La magia del jardín, su pudor refinado y hosco, su hermetismo casi orgulloso y rebuscado, le advertían que aquella «metodología» era consciente y que estaba al servicio de un objetivo; aquel silencio no era la paz artificiosa de un sanatorio, sino una paz sedimentada a lo largo de los siglos, fruto de la disciplina y la voluntad… Se encaminaba de nuevo hacia la iglesia, cuando de uno de los cenadores —en realidad una maraña de arbustos y dos palmeras— oyó un extraño sonido acompasado, cada vez más rápido; cuando reconoció el chasquido de unas tijeras de podar, se acercó a los parterres y se adentró por el sendero de guijarros. Tras unos pasos se detuvo en seco. De detrás de una palmera salió un hombre de hábito marrón sosteniendo unas tijeras y una regadera. Se acercó a la fuente, llenó la regadera y entonces se percató de la presencia de Askenasi. Lo miró con escaso interés, sin sonreír y sin la menor cordialidad, y lo saludó con la naturalidad del anfitrión, agachando dignamente la cabeza cana tonsurada. Askenasi le correspondió con un gesto mundano. El hábito de grueso fieltro marrón cubría la figura de un hombre maduro, del que a primera vista no se adivinaba si era gordo o delgado. Sus manos curtidas y callosas parecían más de labrador que de fraile, y en su rostro demacrado brillaban unos ojos negros de oscuro fulgor. Aquellos ojos, por un instante, parecieron atacar a Askenasi con preguntas estentóreas, pero los labios pálidos y estrechos no pronunciaron palabra alguna, y el ardor casi hostil de aquella mirada inquisitiva se apagó. Luego el hombre se volvió hacia las plantas, como si ya hubiera visto suficiente y no tuviera nada más que preguntar; regó uno de los arbustos, desenredó con gestos delicados una rama de mimosa y con las tijeras cortó una olorosa ramita amarilla. Iba y venía con pasos pausados, sin preocuparse de la presencia de Askenasi, tal vez habituado a las visitas indiscretas y entrometidas de los turistas; no existía fuerza o poder humano que pudiera impedirle realizar su labor a la hora establecida.

Cada uno de sus movimientos era pausado, meditado y armonioso. Askenasi se sintió turbado. Miró alrededor como buscando algo, sacó el reloj y luego alzó la vista al cielo, pero al comprobar que el fraile seguía sin hacerle caso, sintiéndose humillado, carraspeó y decidió marcharse. Para salir tenía que pasar junto a él, que en ese momento, de rodillas, se afanaba en atar las ramas de mimosa con una cuerda de hierbas. Askenasi observó con atención la figura arrodillada: un cuerpo entrado en carnes enfundado en un hábito marrón; un cráneo estrecho y demasiado pequeño para un cuello nervudo; un grueso cordón atado a la cintura, del cual colgaba un rosario. Cuando se le acercó, el religioso volvió la cabeza y, sin incorporarse, le preguntó con una sonrisa neutra pero cortés, en tono casi oficial:

—*Sie wünschen, mein Herr?* (¿Qué desea, señor?) —Su acento tenía un timbre extraño y pronunciaba inseguro los vocablos alemanes. Entonces, en un punto invisible, tal vez la torre de uno de los patios interiores del monasterio, se oyeron las campanadas del ángelus. El fraile se santiguó, inclinó la cabeza y rezó en silencio; luego se puso en pie y sin dejar de sonreír preguntó con tono más resuelto—: *Sie wünschen?*... *Wir schliessen bald* (¿Qué desea?... Estamos a punto de cerrar.) —Y señaló en dirección a la iglesia.

Estaban uno frente al otro y Askenasi pudo por fin admirar su corpulenta y robusta figura, las manos enlazadas bajo las amplias bocamangas del hábito marrón. Sintiéndose insignificante ante aquel portento físico, ladeó ligeramente la cabeza y contempló el rostro sonriente y saludable, de facciones sorprendentemente frescas y delicadas: frente lisa y sin arrugas, cabello blanco pegado a modo de peluca a un cráneo alargado, cabeza elegante, nariz y labios de perfil noble, ojos vivaces e inquietos que contradecían su maciza torpeza corporal. El mutismo con que Askenasi reaccionó ante aquella pregunta meramente cortés resultó embarazoso, casi insolente. La sonrisa del fraile se apagó y éste le lanzó una mirada ceñuda, a la espera de una respuesta, exigiendo respeto pero al mismo tiempo mostrando interés e incluso disposición a prestar ayuda. El grueso hábito de fieltro marrón desprendía un rancio olor a incienso mezclado con una áspera fragancia viril, a jabón de sebo.

«Tal vez podríamos sentarnos aquí mismo —pensó Askenasi—, en ese banco de piedra… Tal vez no se tome a mal que le pregunte si lo ha conseguido.»

Y entonces lo observó con súbito descaro, como si lo que tenía delante no fuera un ser humano sino un objeto, una materia inerte, incapaz de protestar u oponerse a un escrutinio cruel y despiadado. Estudió cada detalle de los labios y las orejas —se puso incluso de puntillas para verlas mejor—, y se sumergió en aquellos ojos, que soportaron el «cacheo» sin inmutarse; dio un paso a un lado para analizar la cabeza desde otro ángulo, y como no encontró ninguna imperfección en ninguna parte, ni la menor arruga, ni el menor indicio de duda que revelara que tras aquella frente despejada y digna se escondía una fiera atrapada y enjaulada, lo invadió tal odio y desaliento que quedó paralizado por el miedo y se llevó un brazo a la cara en un gesto de terror y defensa. «Pero entonces me he equivocado… —pensó, la piel erizada y clavando una mirada desesperada en la serena figura del religioso—. No es posible, no puede haber excepciones.» El otro se acercó a él con aire manso pero precavido, el rostro iluminado por la compasión; Askenasi sintió que nunca lo había mirado nadie con una benevolencia y una sabiduría tan tristes. Dominado por el temor, cogió al fraile por el hábito a la altura del pecho, lo zarandeó con ambas manos y gritó desquiciado:

—¡No es cierto! ¡No puede ser!

Dos manos fuertes atenazaron sus brazos y, suavemente y sin causarle dolor, dominaron sus sacudidas con una fuerza irresistible. Aquella réplica emanaba más de la personalidad pacífica e impenetrable del fraile que de su fuerza física, la misma con que un adulto desarma con calma a un niño nervioso e histérico, o con la que alguien considera innecesario demostrar su verdadera fuerza frente a un adversario mucho más débil. Pálido y encorvado, Askenasi se dispuso a embestir a su tranquilo rival, pero al alzar su mirada vio aquellos ojos de oscura luz, y como si en un tiempo remoto ya hubiera vivido esa misma escena pero con los papeles invertidos, un temblor le recorrió todo el cuerpo… Los ojos tranquilos se ensombrecieron y su luz se extinguió. Con malévola satisfacción, Askenasi constató que el fraile ya no soportaba su mirada inquisitiva, que retrocedía, que el rostro se le desencajaba de ira y dolor.

—¡Mientes! —gritó triunfal. Y le escupió en la cara.

Liberó sus brazos de la presa del hombre y echó a correr hacia la iglesia. Antes de entrar se detuvo y se volvió; había corrido encorvado, como un fugitivo, y al volverse en aquella misma posición inclinada vio cómo el fraile, confundido e inmóvil en uno de los puntos soleados del patio, entre dos palmeras, extraía de los pliegues de su hábito un pañuelo, se secaba el rostro y las manos y se santiguaba. Askenasi cruzó la nave central y se detuvo ante el altar para ver si lo seguían. No oyó ningún sonido. Entonces, con lentitud ostentosa y pasos resonantes —como quien no tiene la menor intención de huir y sólo se limita a estar allí, al alcance de cualquiera que tenga cuentas pendientes con él—, avanzó por el pasillo central y salió a la calle. Atravesó la plaza mayor, esquivó la muchedumbre del malecón y se dirigió al puerto antiguo, donde en otros tiempos fondeaban los barcos de la armada republicana, pero donde los modernos buques de gran calado ya no podían hacerlo. Oyó música de acordeón. A ambos lados del muelle se alineaban lanchas motoras y la gente paseaba en fila india, avanzando lenta y pausadamente. Marineros de camiseta azul cubrían las lanchas con lonas para resguardarlas durante la noche. El enorme barco británico ya había salido a la bahía, estaba lejos de la costa, parecía tan pequeño como un juguete y sobre el terso parquet del agua arrastraba el humo de la chimenea como si fuera el negro velo de una viuda. «Cuánta gente —pensó malhumorado—. Gente por todas partes…» Miró la isla de enfrente, aquel trozo de tierra desgajado, sumido en una especie de desdeñoso retiro, que la luz del sol poniente contorneaba con una gruesa línea dorada, como señalando entre la inseguridad general aquel punto firme, al igual que las luces de neón indican en las riadas de las grandes ciudades los refugios más seguros y frecuentados.

Recorrió el muelle, eligió una barca ligera, de dos remos, y negoció el precio mediante señas.

—Una hora —dijo el propietario, un viejo dálmata tocado con sombrero de paja, descalzo, sin camisa y con pantalones deshilachados, como un pastor acuático entre las barcas recogidas en el aprisco, al sordo vaivén de las olas de la marea alta.

Askenasi saltó a la barca, se desprendió de su chaqueta —sobre la lisa superficie del mar el aire húmedo seguía formando una capa cálida y pringosa, y el agua exhalaba un tenue vapor junto a la costa—, agarró los remos y dirigió la proa hacia la isla.

—Una hora —insistió el viejo en tono admonitorio y señalando con un índice tullido en dirección a poniente, al cielo tamizado de luz bermeja.

En el muelle había dos mujeres, una de ellas vieja, despeinada y andrajosa, y la otra joven, de cuerpo terso cubierto

131

con ropas raídas, que con una especie de tierno abandono y absorto embeleso sostenía a un bebé contra sus hinchados senos. Ambas mujeres y el botero se quedaron observando cómo Askenasi se alejaba hacia la isla a esa hora tan tardía; de madrugada fueron los que orientaron a los gendarmes.

Remó sin esfuerzo, el agua acogía los golpes de los remos sin resistencia, y en apenas media hora llegó al atracadero desierto de la isla, una primitiva construcción de piedra caliza y postes con cuerdas. Sudoroso por el esfuerzo realizado, con el pie empujó el bote, confiándolo a la deriva, se puso la chaqueta y emprendió lentamente la subida por el angosto y empinado sendero que conducía al mirador. Llegó a la cumbre antes del anochecer.

El diálogo

La isla tenía forma de rectángulo irregular y sobresalía del mar empinada, como un pequeño pico perdido, abandonado a su propia suerte, que observara con preocupación el mundo circundante y, sin embargo, no hiciera nada por reintegrarse al seno de su numerosa familia. Desde arriba le sorprendió la extensión de aquel trozo de tierra. Alrededor había un espeso bosque de pinos altos, exuberantes y de tronco rojizo. A la hora del crepúsculo los árboles despedían un aroma áspero y en el aire flotaba el olor amargo de la resina derretida durante el día. Se sentó junto a un tronco, respirando con dificultad porque el ascenso lo había agotado. «Antaño, aquí vivía un emperador», se dijo; había visto ruinas por el camino. De su viejo y docto repertorio le llegó automática y disciplinadamente el nombre: «Maximiliano.» Cerró los ojos y se quedó sentado con los brazos cruzados. En aquel silencio penetrante, casi palpable («como la glicerina», pensó, y en efecto, aquel silencio parecía un líquido espeso, inodoro e insípido), incluso desde allí arriba se oía el oleaje del mar. La marea alta horadaba los farallones de la isla con explosiones sordas y, libre de toda contaminación acústica, el ruido lejano se descomponía en diminutas notas musicales. El rugido del mar se repetía como una escala musical, como una melodía ascendente y descendente que ya no era triste ni alegre, estaba más allá de lo que el oído humano percibe como música, sólo se sentía su ritmo y éste carecía de todo mensaje. «El mar no tiene nada que decir», pensó sin abrir los ojos. Una gaviota pasó volando sobre la isla y emitió un graznido ronco; fue el primero y último ser vivo que Askenasi oyó aquella noche en aquel lugar. Ya no se veía el sol, pero el mar reflejó aún por un rato el crepúsculo brillante y plateado, como si estuviera perlado de bolitas de mercurio. Ya no era de día, pero tampoco de noche; el cielo se extendía vacío sobre él, no se veían cuerpos celestes, ni luna ni estrellas; había una extraña claridad, como si estuviera bajo la superficie del mar.

En la cima de la isla, sumido en aquella iluminación insólita y alarmante, se sintió solo por primera vez en su vida. Eso lo sorprendió. Sus amigos solían considerarlo «una persona solitaria». Ahora le pareció que no había tenido ni idea de lo que era la soledad, había vivido en medio de un gran tumulto desde el momento de nacer. Aquello era por fin la soledad: lo que lo rodeaba allí, aquel crepúsculo incoloro y agonizante, aquel silencio denso y oleoso, y allá abajo el mar, cuya inmensa superficie reflejaba el vacío del cielo; y él, al fin, podía agarrarse a aquella costa como un náufrago al arrecife. Estaba rodeado de pinos y en medio del claro se alzaba una roca, un trozo de piedra cuadrada, como un altar pagano; el sendero que llevaba hasta allí estaba recubierto por una espesa capa de pinocha. «Por fin solo», pensó, y se desperezó. El estupor causado por la soledad fue sustituido por una sensación de seguridad hasta entonces desconocida. Todo le parecía familiar, paseaba la vista con la comodidad del propietario que tras un largo viaje regresa por fin a su hogar, donde por ley divina y humana tiene el derecho de residir, de donde nadie puede expulsarlo y donde no hay más orden ni ley que los que él mismo imponga. Empezó a deambular tímidamente por aquel nuevo hogar, entre el mar y el cielo. «Qué familiaridad», pensó. Se acercó a los pinos, palpó su corteza, trató de conocer aquella flora modesta y solitaria. La ciudad iba encendiendo sus primeras luces; se acercó a la roca y observó las almenas abultadas, las formas concebidas para la defensa; la ciudad parecía haberse acurrucado en aquel recinto estrecho y celosamente amurallado por un temor y una preocupación seculares, procurando reducir al mínimo la superficie expuesta al mundo hostil. Tras los bastiones se alzaban las casas de gruesos muros, detrás de los muros había verjas y puertas para proteger a la gente asustada, y tras las puertas, oculto en armarios reforzados y en cajones cerrados con llave, todo lo que había que proteger; la ciudad era pura defensa, se ocultaba en la arena a modo de tortuga con sus sólidos y convexos bastiones, y Askenasi la contemplaba con compasión. De pie y con la cabeza descubierta, alzó el rostro para que la suave brisa que soplaba en lo alto acariciara su frente sudorosa. El mar estaba vacío y desde allí parecía inhóspito, saqueado y abandonado.

Lo miró compasivo. «El mar no es capaz de sufrir —constató asombrado, y se quedó mirando el agua con los brazos cruzados—. Entonces, ¿con qué finalidad fue creado?» Aquel mundo vacío, privado de sentido y finalidad desde tiempos ancestrales, se extendía indiferente a su alrededor. «Sólo la razón es capaz de doler», se dijo. El dolor hormigueaba en la costa, tras los macizos bastiones parpadeaba y pestañeaba con sus ojos luminosos, pero allí, entre el mar y el cielo, él representaba el último nervio que aún se movía y sentía; a su alrededor todo era mera apatía y penumbra. Tosió y se llevó la mano a la boca, porque en aquel extraño silencio el sonido levantó un eco múltiple; cada uno de sus movimientos, el rumor de sus pasos, el crujido de las piedras bajo sus pies, parecían estridentes, como si un amplificador transformara cada suspiro en un trueno y lo esparciera por el mundo. Se movió con cautela, procurando no hacer ruido, y se sentó sobre la roca cuadrada a escuchar el mar. «Un texto ajeno —pensó—. Una lengua monótona. Puede que carezca incluso de conjugación verbal. Es sólo ritmo…» Y con inquieta expectación, como quien de pronto empieza a entender ciertas palabras de una lengua desconocida, siguió escuchando aquel ritmo machacante. «Dice algo, sin duda, pero tal vez no haya que percibirlo con el oído y la razón. —Contuvo la respiración prestando oído—. Tal vez haya textos que no se puedan traducir al latín o el francés...» Algún día tendría que librarse de eso: del vocabulario limitado de la razón, de unos centenares de miles de conceptos que guardan celosamente un secreto, incapaces de abarcarlo y de expresarlo del todo. «Pero ¿por qué sigo insistiendo con la razón? —se preguntó sorprendido—. La razón sólo puede utilizarse allí, en la costa; allí puede servir y uno puede orientarse con ella, como con las unidades de medida o las reglas. Pero aquí de poco me sirve... ¿Alguien viajaría a Marte con un buen despertador y una póliza de seguro en el bolsillo? Tal vez en Marte no haya ni tiempo que medir.» El paisaje se oscureció como si de golpe hubieran apagado la luz diurna. Ya no veía el mar, sólo lo oía, muy lejos, como si un loco repitiera en la oscuridad siempre la misma palabra. En la costa se fueron encendiendo las farolas y en el horizonte apareció la luna, detrás del frío resplandor de las luces artificiales. Su mirada distraída buscó el hotel entre las luces de la costa, pero no logró identificarlo en la oscuridad. «¿Qué estará haciendo la pobre?», se preguntó distraídamente, casi por cortesía. Era la primera vez que pensaba en ella desde que había abandonado la habitación cuarenta y dos; lo hizo compasivo pero con escasa emoción, como cuando uno piensa en un mero conocido que está enfermo o tiene problemas. «Quizá la están lavando... ¿Qué hacen los muertos?» Fue hasta el borde del claro, miró el paisaje regado por el almíbar de la luna y se encogió de hombros. «Los muertos no tienen sexo.» Se entristeció un tanto, pero no tenía ni ganas ni motivos para evocar a aquella desconocida. No recordaba su rostro, sólo veía sus manos, aquellas manos finas, huesudas, no muy bellas, con una sortija de piedras azules. «Seguramente se la regalaron cuando era niña. Me extraña

136

que aún pudiera ponérsela. También es verdad que tenía manos muy delgadas.» Sintió una especie de repulsa al recordar aquellas manos tan huesudas. Se acordó de las manos suaves y candorosas de Eliz. «¿Cuándo se enterará allá en América del Sur? —se preguntó—. A lo mejor ni siquiera lo publican en los diarios… Puede que nunca lo sepa. —Esta idea lo reconfortó—. También es cierto que los periódicos son ávidos y publican muchas cosas falsas. Y tampoco respetan los asuntos privados. Crimen pasional, dirán…» Se indignó. Los periódicos, sedientos de morbo y poco precisos, seguramente lo llamarían así, «crimen pasional». Decidió que pasara lo que pasase, enviaría a los periódicos unas líneas educadas pero rotundas protestando contra dicha afirmación. «No era la pasión lo que yo buscaba, vaya tontería. La pasión ya la conocía. Un pasatiempo banal… ¡Ojalá no se hubiera puesto a cantar!» Al entrar en la habitación y hacer una reverencia en el umbral —nadie podría reprocharle no haber guardado las formas correctamente; la buena educación se manifiesta hasta en situaciones así—, había encontrado a aquella mujer delante de la ventana, cantando quedamente con unas partituras en la mano. «Una diletante», había pensado él con desdén. Ahora la juzgaba con más comprensión y compasión que en aquel momento; en realidad es muy triste ver a una mujer joven en un país extraño, cantando en voz baja junto a la ventana de una habitación de hotel… «Como una loca —pensó—. Personas solas en sus habitaciones. Cientos y cientos de miles.» Miró nervioso a su alrededor.

El bochorno no había cesado con la puesta del sol; en las manos y la frente se le había adherido una sustancia negra y pegajosa que le oprimía el pecho y le dificultaba la respiración. Consultó el reloj: pasaba de las diez y media. La luna ya estaba encima de la isla y su luz caía rígida sobre el claro del bosque. Decidió quitarse la ropa: pocas veces se acostaba más tarde de esa hora. En noches de verano tan calurosas le gustaba dormir desnudo. Empezó a desvestirse, pero le resultó algo molesto no poder colocar las prendas, como era su costumbre, sobre el respaldo de una silla; decidió descansar junto a la roca y pasar la noche en aquel claro, desde donde podía observarlo todo. En efecto, bastaba mover ligeramente la cabeza para ver toda la costa, la ciudad, el mar allende la bahía, que parecía haber crecido a la luz de la luna. La roca tenía el tamaño de una mesa; miró alrededor buscando algo que le sirviera de percha entre los árboles. A la luz de aquella luna hubiera podido incluso leer. Se dispuso a colocar sobre la roca los objetos que llevaba en los bolsillos; los vaciaría concienzudamente, como solía hacer todas las noches, siguiendo la misma ceremonia circunspecta con que se vestía y desvestía: primero los bolsillos de la chaqueta, luego del chaleco y finalmente los bolsillos laterales y traseros del pantalón. Bajo aquel resplandor que perfilaba nítidamente el contorno de los objetos, le sorprendió ver el curioso montón que iba creciendo encima de la roca plana. Miró con mudo asombro, como si fuera la primera vez, los numerosos objetos extraños, la cantidad de efectos y utensilios que llevaba encima. Primero las llaves ensartadas en un aro, ocho en total: de maletas y de su antigua casa, de la sala de profesores del instituto, del mueble librería, del armario de la ropa interior, y una muy plana que, aunque conocida, no logró recordar qué puerta o cerradura abría.

Todas abrían o cerraban algo en el mundo, objetos, cartas, pero de pronto tuvo la impresión de que en realidad lo confinaban a él mismo, lo aislaban del mundo exterior; las observó como un preso que logra hacerse con la llave de su celda. Custodiar algo constituye una forma de prisión y él ya no custodiaba nada, ni personas, ni objetos ni secretos... Arrojó las llaves sobre la roca con desprecio. Cogió dos carteras: en una guardaba las monedas; la otra, abultada, estaba llena de cartas, notas, algunos billetes. Encontró una tercera, esta de piel roja; se la habían dado en la elegante agencia de viajes a modo de *souvenir* y allí tenía el pasaje de tren y el pasaporte. Del bolsillo de la chaqueta extrajo los restos de un puro alemán, unos cigarrillos arrugados y unas gafas de montura de carey y lentes verde oscuro para protegerse de la luz, compradas hacía poco a un comerciante de la costa. Se quitó las gafas de montura dorada, plegó las patillas con cuidado y rebuscó el estuche que había comprado aún siendo estudiante y que conservaba celosamente desde entonces, guardó en él las gafas y lo colocó con delicadeza junto a las llaves y las carteras. Ahora, al sostener por última vez el estuche, su forma y tacto familiar le trajeron a la mente los cambios que aquel humilde objeto había experimentado a lo largo de su existencia: estaba hecho de hojalata y forrado en terciopelo morado, un forro que, en los veintiocho años que había estado a su servicio, se había desgastado y ennegrecido; Askenasi recordaba vivamente el chasquido sordo de la tapa, que en los primeros tiempos se cerraba con flexibilidad y vigor: oyó ese sonido y vio Leipzig, la tienda de óptica junto a la universidad, cerca de una pastelería. El pastelero se llamaba Felsche, pero, aunque lo hubieran amenazado con el patíbulo, en los veintiocho años transcurridos no habría sido capaz de recordar ese nombre. Con el tiempo, el resorte que regulaba el cierre de la tapa se había desgastado y aflojado, y desde entonces la tapa se abría suavemente, sin resistencia. Casi lo emocionó el destino de aquel objeto indefenso, el necio ocaso de un objeto vetusto. En el bolsillo interior de la chaqueta también llevaba un lápiz y una pluma chapada en oro que siempre le había causado problemas: tenía la punta dura, no se amoldaba a su escritura, no reflejaba la personalidad de su letra; sólo la utilizaba a veces para firmar. Se desprendió de ella sin pena. En los bolsillos exteriores de la chaqueta llevaba un abono medio gastado para los autobuses de París; el recibo escrito a lápiz de un sastre local, una factura de ciento veinte dinares «cobrados por limpiar y planchar cuatro trajes» —el reverso colorido del papel representaba un gallardo oficial con gorro de piel decorado con un escudo y plumas de garza, galopando en la batalla y alzando en la mano una botella de jarabe estomacal— y dos comprimidos antiácidos que había olvidado tomarse por la tarde al pedir el agua helada, porque lo habían llamado al teléfono, pero ya no le pareció oportuno tomarlos. Le dio un repaso a la chaqueta y encontró unas cerillas italianas y esa especie de musgo que se forma en los bolsillos con la pelusa del forro. A la altura de la cintura tenía un bolsillo oculto en la entretela; allí llevaba un mechero y una moneda que encajaba en la ranura del depósito para abrirlo y, después de cargarlo con gasolina, cerrarlo. Había terminado con la chaqueta; se la quitó, la examinó una vez más y en el reverso de la solapa encontró un alfiler olvidado por el sastre. Colgó la prenda en una rama baja de un pino cercano, alisó las arrugas de los hombros y estiró las mangas. Con el chaleco no tuvo mucho que hacer. En sus bolsillos llevaba un estuche de piel plano con una doble fila de cerillas, una agenda ceñida con una goma y llena de direcciones y números de teléfono de personas casi olvidadas, el estuche dorado de un ingenioso artefacto de níquel que servía al mismo tiempo como limpiapipas, lima de uñas y sacacorchos, mondadientes de caña de pluma de oca, un esbelto cortaplumas en su estuche de piel, con dos cuchillas y cortaúñas, una lupa con montura de caparazón de tortuga y del tamaño de un monóculo, una entrada doblada para el Museo Británico y una leontina de oro que hacía mucho tiempo que no llevaba enganchada a ningún reloj y colgaba inútil de un bolsillo del chaleco. Del extremo de la cadena pendía una cajita minúscula chapada en oro, con dos fotografías: la de su padre cuando era joven —tendría unos treinta años, y Askenasi no lograba encontrar rasgos conocidos en aquel rostro enmarcado en una barba estilo Francisco José— y la de su hijita, el retrato descarnado e inexpresivo de un bebé regordete que observa el mundo estupefacto y sin interés. No supo qué hacer con las fotografías y las colocó con la leontina junto al limpiapipas y la lupa. Sacó asimismo una boquilla de ámbar bastante mugrienta y un lápiz que llevaría años oculto en el bolsillo, porque no recordaba cuándo lo había usado por última vez. En los bolsillos del pantalón llevaba una pitillera, una pequeña funda de revólver que en vez del arma alojaba un cepillo para la ropa, francos franceses y belgas, y una pequeña linterna sin pilas.

Cuando acabó de disponer todos los objetos, dio un paso atrás y observó la colección. Llevaba años conviviendo con aquellos objetos, a veces se le perdía alguno y otras veces la colección se ampliaba con alguno nuevo, pero seguía cargando con ese almacén, aferrándose a cada uno de sus componentes como si fueran sus herramientas de trabajo, y era incapaz de dar un paso sin ellos. Reflexionó qué era lo que faltaba aún; se desabrochó los gemelos de la camisa y se quitó el reloj de pulsera y los dos anillos que siempre llevaba consigo, el de sello y la alianza, y los colocó junto al resto. La colección parecía completa. Eran los efectos personales que nunca lo habían abandonado, y en el pasado se hubiera sentido desgraciado de no encontrar alguno. «Con tanto equipamiento, antiguamente se organizaban expediciones —pensó con ironía—. Colón llevaba menos objetos cuando se embarcó con la idea de circunnavegar la Tierra…» Jugueteó con ellos y miró incrédulo la cantidad de despojos que, con independencia de su intención y voluntad, se habían acumulado en el curso de decenios, que cada noche colocaba sobre la mesilla y cada mañana guardaba primorosamente en los bolsillos y sin los cuales hasta hacía poco no era capaz de viajar, descansar, comer o dormir. Todo aquello no lo había reunido él, sino la vida; una fuerza y una voluntad ajenas habían llenado sus bolsillos con todos esos trastos y contra ello nada podía hacer.

Se quitó los pantalones y los dobló como cuando era estudiante, cuidando la raya. Eso le recordó una anécdota relacionada con sus primeros pantalones largos y la rabia que había sentido cuando los sacó de debajo del colchón con una doble raya; los había metido allí al acostarse, con la complacencia del petimetre que procura ahorrarse un planchado. Colocó los zapatos junto al tronco del pino y lamentó no disponer de una horma, porque le gustaba tener los zapatos estirados durante la noche... Acabó de desvestirse y dio unos pasos enteramente desnudo. La pinocha le pinchaba los pies, pero pronto se acostumbró a aquel hormigueo incómodo. A la luz de la luna se contempló el cuerpo despojado de todo oropel y galanura, y vio que desprendía una extraña luminiscencia, como una figura del museo de cera. Se miró las piernas delgadas y torcidas, la barriga incipiente, los brazos chupados, y se encogió de hombros. «Qué penoso —pensó—. No vale la pena. No se trataba de esto.» Se sentó al borde del claro, frente a la ciudad y el mar abierto, brillante y de reflejos niquelados, cruzó las piernas, colocó los pies bajo las rodillas, apoyó la espalda en la roca.

—Es imposible que sólo se tratara de esto —murmuró.

Le pareció haber gritado y se asustó. Miró alrededor. El mar y el cielo le devolvieron su voz con estridencia. «Sólo es el reflejo del silencio», se consoló. Sin duda estaba solo allí arriba, tan solo como nunca en su vida, y sin embargo le daba la impresión de que una vez, en el pasado, ya había experimentado esa soledad, en la tierra desierta, entre el cielo y el mar; la situación le parecía familiar, sólo tenía que hacer un esfuerzo para acordarse. Sintió el mismo vértigo que por la tarde, cuando aquella mujer había dicho «*Zwoundvierzig*» y subido la escalera; entonces él había sabido lo que seguiría, oído cada sonido con antelación, visto cada gesto, incluso las luces de la habitación, como si ya lo hubiera vivido, como si aquello que veía y oía fuese ya un recuerdo pero al mismo tiempo estuviera ocurriendo... Aquella roca, aquellos árboles, dos a los lados y en medio el más alto, donde había colgado su ropa... y allá abajo, en la distancia, la ciudad. Era como si viera el laboratorio del propio pensamiento, la estructura que lo producía, no tanto el cerebro, que sólo conocía por las ilustraciones de los libros de medicina y que le parecía una maraña gelatinosa trenzada («De qué está hecho el cerebro? —se preguntó de pronto, nervioso, y trató de recordar el sabor de los sesos de ternera o cordero que había saboreado en su vida—. No es carne, sino otra sustancia más blanda y granulosa, parecida a la sémola... Otra cosa que aún desconocemos», concluyó), sino aquella otra estructura, una fuente de energía que opera con independencia de los fines prácticos de la razón y por la que fluye una energía desconocida, de la cual las palabras sólo son el producto, sus torpes intérpretes.

Se sentía como antes de un viaje, como si estuviera apoyado en la barandilla de un barco para emprender una travesía alrededor del mundo y así conocer por fin cómo es; miró el mar y se mareó. Lo invadía una satisfacción peculiar: ahora que por fin estaba solo podría hablar con Él en privado, en aquel lugar íntimo, aislado acústicamente, donde nadie los oiría, solos en aquel pequeño y entrañable universo. Pensó en los preparativos de la conversación, en los cuarenta y tantos años que había pasado buscando las palabras, los caminos sombríos, los esfuerzos dolorosos que había vivido hasta llegar allí. Estaba agotado y se desperezó.

—En realidad, no lo he pasado bien —dijo en tono amistoso, confidencial—. Me he sentido mal desde el primer instante, como si me torturara un recuerdo. —Elevó la voz, como si hubiera cerrado la puerta con llave y ya no temiera que lo espiaran—. Tampoco es verdad que los grandes dolores sean insoportables... Los que no se aguantan son los pequeños, que ni siquiera parecen dolores, uno por uno ni se notan, sólo en su conjunto. Espera, me explico. —Clavó una mirada ceñuda en el suelo y sacudió la cabeza, contrariado—. Si los desmenuzo, es ridículo, tal vez ni se comprenda... Insisto, uno por uno ni siquiera los noté, pero en su conjunto resultaban insoportables. —Y repitió en voz alta, con tono severo—: Insoportables. —Luego continuó más conciliador, distendido, como si contara los contratiempos banales de un viaje con final feliz—. Hubo tantos que me cuesta enumerarlos... Por ejemplo, la lengüeta de los zapatos. Me figuro que en eso no habías reparado. Claro que si uno crea una obra tan colosal como el mundo, no puede ocuparse de pormenores así. La lengüeta se tuerce… No sé por qué, simplemente se tuerce y por esa pequeña abertura bajo el cordón asoman los calcetines… De acuerdo, no tiene importancia, no vale la pena hablar de ello, pero luego se repite todos los días, ya sabes… Tendría que haberle pedido al zapatero que le diera una puntada, pero no lo hice. Y esto es lo curioso. Uno nunca dice nada. Cada vez que compraba un par nuevo pensaba hacerlo…pero luego no lo hacía. A lo mejor es que a la gente le da vergüenza… Claro, no tiene importancia, mejor olvidarlo. También está el peine. Pasan dos semanas y acumula una especie de mugre grasienta. Por mucho que te laves la cabeza, el peine se ensucia. Hay gente que lo limpia con un cepillo, otros pasando un hilo tenso entre los dientes, pero es muy engorroso. También con los tenderos hay muchos problemas. —Miró el suelo con gesto preocupado—. Las cuchillas de afeitar —dijo bajando la voz, como quien se dispone a revelar un secreto comercial—, desgraciadamente, no tienen la misma calidad. Cada cuchilla, otra calidad. Si compras diez en una cajita, lo más probable es que sólo puedas usar dos… Puede que vuelvan a afilar las usadas para colarlas entre las nuevas. Hoy en día no es imposible… Sería mejor comprarlas una por una, pero parecería pura tacañería, el tendero te miraría mal y uno sentiría vergüenza. Y así casi todas las cosas; la cinta en que cuelgas las corbatas siempre se rompe, porque las fijan al armario sólo con una endeble chincheta a cada extremo. Sacas una corbata y todas van al suelo… El espejo del lavabo siempre está en el sitio equivocado, el menos iluminado. Cada vez habría que clavar un solo clavo, o decir una sola palabra… pero ahí está precisamente el problema. —Bajó los ojos con pesar—. Mira, uno no dice nada porque le parece que tiene que estar corriendo continuamente, que siempre hay algo que hacer, que tiene alguna tarea inaplazable, algún trámite muy importante que no puede resolverse sin él…

Que lo esperan en tal o cual sitio, que tiene que llegar a tiempo. Por lo general nadie tiene nada importante que hacer. Sólo trabaja el que no tiene más remedio… Pero hay que aparentar la prisa, incluso ante uno mismo. Y por las prisas no hay tiempo para clavar un clavo u ocuparse de nimiedades como la suciedad del peine… No, éstos no son verdaderos dolores. Pero, compréndeme, resulta muy difícil empezar… No puedo decir que lo insoportable haya sido la vida misma. No sé lo que es la vida, nunca la he visto… Lo insoportable es cuando después de la manicura la señorita te cepilla los dedos. Te provoca un dolor ardiente, como si te quemaran la piel, pero un hombre no puede hablar de esas cosas, sería ridículo. Lo digo sólo para que entiendas. Puede que la obra en su conjunto sea perfecta, no lo niego, mas los detalles son imperfectos. Siempre hay algún problema en todas partes. En los hoteles, con el baño. Por ahorrar, uno no paga una habitación con baño propio. Sin embargo, al entrar en un cuarto de baño no soporto ver que alguien se ha bañado antes. No importa que hayan limpiado la bañera, basta con que vea la huella de pies mojados sobre el linóleo… Simplemente no lo soporto, no. —Sonrió tímidamente, como excusándose—. Ya sé que éstos no son argumentos que valgan —continuó, ahora con tono cortés—. Podría decir que la vida es insoportable porque hay enfermedades, muerte, guerras, patíbulo, cuarteles, miseria, traición… Pero eso la mayoría de las veces resulta muy lejano. Lo que está realmente cerca, todos los días, es esto, nada más… o poco más. Es como la tortura china de la gota de agua que cae continuamente sobre la cabeza del prisionero; cada día, cada minuto, hay algo que te gotea encima… La cerilla, el mechero que te mancha el pulgar, los gemelos de la camisa, los sellos que se pegan torcidos y da la impresión de que la carta ya no vale… Luego están las mentiras que te acompañan durante décadas. Un día mientes a alguien, ni siquiera sabes muy bien por qué, es una cuestión de segundos, tal vez quieres parecer más listo o más elegante, o lo haces simplemente por decir algo. A veces es como si no hablara, aunque oigo mi voz. Y luego la mentira te persigue, en alguna parte hay una persona que sabe algo sobre ti y, hagas lo que hagas, por mucho que luego le asegures que, en general, te han movido las mejores intenciones, que has trabajado por el bien del prójimo, él esbozará una sonrisa de superioridad en la soledad de su habitación. Todo el mundo tiene a una persona así… Dime, ¿no será la tuya el diablo, ese que sabe algo incluso de ti?… De otra manera ¿qué finalidad tendría? Para tentarnos a nosotros, a los humanos, seguramente no hubieras necesitado preparar algo tan impresionante como el infierno y los demonios, habría bastado con mucho menos… El diablo está sentado tranquilamente en el infierno, sonriendo por lo bajo porque sabe algo sobre ti… ¿No es eso? Perdona, sólo pregunto por curiosidad… Siempre ha habido algo que me perturba, a veces me paro en la calle y miro alrededor. Siempre he temido olvidarlo, que de golpe se haga la oscuridad y me quede sordo y ni siquiera consiga revivir el recuerdo. Pero el recuerdo ¿de qué? Ése es precisamente el problema: la palabra que falta… En todas las lenguas falta justamente esa única palabra, se utilizan las perífrasis y los más sabios recurren a los símiles. Los objetos, en realidad, no son más que instrumentos de tortura… Uno ya no nota cuando empiezan a cocerlo a fuego lento… Ah, ese fuego lento… Siempre, por la mañana al despertarme y por la noche al acostarme, e incluso en sueños, siempre. Ese humo sofocante, ese olor a carne chamuscada… Duele horriblemente… Dime, ¿por qué no se habla de eso? Nunca, nadie, al final todos terminan echándose para atrás. Parece que fuera imposible… Mira, he tenido que subir a este monte para poder estar por fin a solas contigo y atreverme a preguntarte.

Hizo una pausa.

—¿Sabes?, en el fondo siempre he pensado en las mujeres —reconoció con franqueza—. Por eso estudié, por eso viajé, todo lo hice por eso. No tanto por las mujeres, sino por esa cosa. Ignoro en qué piensa la gente constantemente, si para ellos de verdad es tan importante esa especie de electricidad, o bien la conquista, la grandeza y el honor del imperio… A lo mejor sólo hacen todo eso porque no pueden alcanzar el amor… Amor, vaya palabra. Pero si tú lo sabes, lo has inventado tú… Un invento divino, lo digo en serio. Qué bonito debió de ser cuando aún se trataba realmente de eso… Nunca he pensado en otra cosa… Y sospecho que tampoco los demás buscan otra cosa más que ese instante… Todo el que hace algo diferente resulta sospechoso… Creo que una persona feliz no se ocupa de nada más, en ningún caso se le ocurre ir a la oficina o dedicarse a la política… ¿Por qué? Porque en realidad esas cosas no son más que meros detalles… Durante cuarenta años nadie ha notado nada en mí. —Sacudió la cabeza, triste y contrariado—. Te confieso que todo lo hice por eso. Yo quería lo mejor, las palabras más puras, quería traducir tu texto a la lengua de la vida, tal como lo concebiste originalmente… Por desgracia, parece que es imposible. Las palabras fallan, son burdas e imperfectas, en nada recuerdan a las originales… El texto me tentaba a todas horas, en todas las situaciones, dormido y despierto… Como una melodía que suena en el oído sin cesar y no te permite pensar en otra cosa. Luché contra ella, la ahuyenté, me aferré a los libros. Imagínate, hasta hice deporte y me afilié al partido radical socialista… Ya sé que es ridículo, pero entonces aún no lo sabía. Y además le tenía miedo, pensaba que era pecado… Esto es lo más curioso. —Sonrió con ironía—. Durante mucho tiempo no comprendí el aspecto físico del asunto… Yo también creí que era un fenómeno colateral que había que superar sin más, que era parte de ello pero que en realidad no se trataba de eso, sino de la bondad, de la entrega, del amor… ¡Pues no! —gritó y, levantando el rostro hacia el cielo, vociferó a pleno pulmón—: ¡Pues no! ¡No es verdad! ¡Me has engañado!

Se cubrió los ojos con las manos y se encorvó. El mar devolvió el rugido de sus palabras. Su postura inclinada reflejaba humildad.

—Perdóname —murmuró—. Es que duele tanto... Claro, luego uno pierde los papeles, como yo esta tarde en el hotel... Uno es concienzudo y devoto, y busca un principio, más bien el principio... y en cambio sólo encuentra accesorios de carne que en la mayoría de los casos se venden por dinero: el que más paga, recibe la mejor calidad... No puedes tomar a mal que uno se desilusione... Y luego siempre aquellas ocupaciones secundarias, pérdidas de tiempo, trabajo, reuniones que te consumen... También es verdad que a veces encontraba un poco de tranquilidad, pero sólo por breves instantes. Una vez volvía a casa, era de noche y había niebla, y en las esquinas habían encendido fuegos que ardían con llamas enormes en medio de la bruma... entonces me sentí feliz, no me faltaba nada, pero sólo duró media hora. Y otra vez, una mañana de verano en el jardín... En otra ocasión me ocurrió en el teatro, la música me impresionó, sobre todo los violines, y cerré los ojos por un instante... Una vez, volando sobre los Alpes se averió una hélice y el avión empezó a perder altura lentamente, un poco escorado. Pero todo eso no es nada en comparación con lo que tú prometiste, no es más que una pequeña muestra... Ese aspecto del asunto me molestó, me sorprendió durante mucho tiempo... Vamos, me decía, no puede ser... Sería la materialización ridícula, impura y primitiva de una Idea maravillosa, de tu Idea... Nunca nadie ha hablado de ello. Lo que dicen al respecto es pura necedad, irse por las ramas. Trazan gráficos sobre el placer y analizan las glándulas... Menudo absurdo. —Y como si hablara a otro que escuchara en la oscuridad, susurró—: Es imposible, pensaba, que sólo hubieran podido materializar de esa manera lo que se pretendía... Es una chapuza, algún inepto se apropió de la Idea y la echó a perder... Será un malentendido... Perdona, es que yo confiaba en ti —continuó en voz más alta—. Recuerdo cuando aún era joven y estudiaba Medicina… entonces ya había elegido, asistía a conferencias sobre Platón y despreciaba la afectación de los médicos… Entraba arrogante en el aula de anatomía, miraba despectivo la asquerosa materia que algunos manipulaban con presunción y seriedad, como si fueran capaces de descifrar su secreto… Investigaban el cuerpo, qué ridículo… Yo observaba los músculos, los riñones, los demás órganos, y me encogía de hombros… Pues sí, unos instrumentos ingeniosos, pensaba... y «qué prácticos», como le diría un niño a su institutriz… Y yo seguía creyendo que no había que prestarle demasiada atención, al igual que el pensador no se ocupa de la tinta y la pluma con que escribe… —Titubeó—. Pues sí, el fuego lento… Un día me empezó a doler, ya sabes, me empezó a doler la carne, como una enfermedad… Tú tal vez no conozcas esa sensación. Sí, esto es asunto nuestro, es lo que tenemos de humano —sonrió—. Lo eternamente humano… Empecé a prestarle atención cuando el dolor era ya intenso, como una quemadura de tercer grado, un dolor que ya no se alivia con pomadas ni medicamentos. Y el fuego se aviva a la menor ocasión, por ejemplo, en la calle cuando te encuentras con alguien que te lanza una mirada o te da un apretón de manos… Oh, por supuesto, a veces lograba vencer el dolor: aprendí turco, escribí libros, gané premios, me casé… De vez en cuando parecía que todo iba bien. Y después, de pronto otra vez la llama, el ardor que quema la carne viva; tienes ganas de chillar y salir corriendo de casa, pero sigues allí sentado, tranquilo, y sonríes, conversas o cortejas a una mujer… Ese dolor siempre se confunde con otra cosa, en especial con el erotismo. ¿Qué es el erotismo?... Muy pocas veces lo he encontrado… Una vez estaba sentado en el vestíbulo de un hotel a la hora de la siesta, y de la butaca vecina se levantó una mujer joven que se dirigió al ascensor e hizo una seña al marido para que la siguiera. Ambos subieron juntos y yo sólo alcancé a ver una mano y el brazo de ella al cerrarse la puerta, antes de que el ascensor se pusiera en marcha. Creo que es el único gesto erótico que recuerdo… Lo que veía en el aula de anatomía no tenía ni pizca de erótico —añadió con sencillez y voz quebrada—. Y más tarde tampoco, nada de lo que he visto en ninguna cama. Tal vez esta tarde, al agarrarla por el cuello… ¿Sabes?, ella no entendía lo que yo quería. Pobrecita, simplemente me había invitado; también ella, como las demás, arrojó un leño al fuego lento que me consume, para que no se apague… Igual que las demás, ¿por qué no?… Era lo que le habían enseñado. Pero luego llega el día en que uno pierde los nervios y hace un movimiento brusco… Por desgracia retiró la mano cuando quería cogérsela… Así que la agarré por el cuello… Sólo pretendía decirle que no valía la pena arruinarse la vida por una mujer, que sería ridículo… Pero se comportó de una forma tan torpe… Quería decirle que el trato que había hecho contigo era distinto.

Hizo una pausa e inclinó la cabeza.

—Dime —preguntó luego con un hilo de voz y en tono amigable—, ¿por qué me has engañado? —Miró alrededor con expectación, esperando una respuesta. Y como ésta tardaba en llegar, se enfadó—: ¡Pero bueno! No sabes responder, ¿verdad?… Pues ahora estamos metidos en un buen lío.

Dio unos pasos hasta situarse entre dos árboles, apoyado contra un pino esbelto, y contempló el mar largamente, sin moverse. Cuando el día empezó a clarear, estiró los brazos, se agarró a una rama, se alzó y haciendo esfuerzos, a duras penas, como si las palabras le vinieran a la mente una por una, dijo lenta y mecánicamente:

—Dios mío, Dios mío...

La brisa matutina acarició la superficie del mar y dispersó la fría luz como si fuera un pulverizador, y las primeras luces empezaron a expandirse en círculos concéntricos cada vez más amplios. Ya se veía la costa y Askenasi divisó una lancha que se acercaba. «¿Por qué me has abandonado?», preguntó sin mover los labios. Apretó el rostro contra el árbol y cerró los ojos. Se sentía tremendamente cansado.

Llegaron empuñando sus armas, pero al ver que no se movía, se detuvieron a pocos pasos de él —eran cuatro, dos gendarmes con fusiles de bayoneta y dos inspectores de policía con revólveres— y lo observaron desconcertados. Luego, uno de los inspectores se quitó el impermeable y le cubrió el cuerpo desnudo y tembloroso. Lo rodearon en silencio y lo acompañaron hasta la lancha sin pronunciar palabra; incluso se olvidaron de esposarlo, tan perplejos estaban. El fabricante de porcelana alemán, situado en la primera fila entre la gente que esperaba en el muelle, se percató de la negligencia y se lo advirtió al oficial de la gendarmería, con buena intención pero en tono rudo y aleccionador. El oficial hizo una mueca de indiferencia y luego ordenó con un gesto de la mano que esposaran al detenido. A la luz de la mañana, la isla se recortaba contra el horizonte con contornos nítidos y definidos. Antes de que lo metieran en el coche de policía, el reo se dio la vuelta, se irguió de puntillas y, por encima de la muchedumbre, lanzó una mirada inquisitiva hacia la isla y sonrió. Al percatarse de aquella sonrisa, muchos murmuraron y acto seguido se oyeron gritos de indignación. Los inspectores lo metieron en el asiento trasero a fuerza de empujones, y el coche se abrió paso raudamente entre la muchedumbre. Más tarde, muchos asegurarían haberlo visto, a través de las ventanillas del automóvil, con aquella sonrisa «irónica y cruel» aún dibujada en su rostro.

Índice

Junio 2010